Rubens's *St. Andrew* "de los Flamencos"

Altarpiece Enframed by a Spanish-Flemish Community

Rubens' *Heilige Andreas* "de los Flamencos"

Altaarstuk omkaderd door een Spaanse-Vlaamse gemeenschap

Abigail D. Newman

in collaboration with the Rubenshuis / in samenwerking met het Rubenshuis
Antwerp / Antwerpen
2018

Abigail D. Newman received her Ph.D. from Princeton University (2016). She is currently a visiting professor at the University of Antwerp and a post-doctoral researcher at Ghent University, working as Research Curator at the Rubenshuis and Research Advisor at the Rubenianum.

Abigail D. Newman heeft haar doctoraat behaald aan Princeton University (2016). Tegenwoordig is zij gastprofessor aan de Universiteit Antwerpen en postdoctoraal medewerker aan de Universiteit Gent, werkzaam als onderzoeksconservator aan het Rubenshuis en onderzoeksadviseur aan het Rubenianum.

COLOPHON | COLOFON

COORDINATION | COÖRDINATIE
Abigail D. Newman, Ben van Beneden

AUTHOR | AUTEUR
Abigail D. Newman

DESIGN | VORMGEVING
Ann Walkers

TRANSLATION | VERTALING
Erik Tack

PUBLISHER | UITGEVER
BAI

ISBN 978-90-8586-767-8
D/2018/5751/06

ACKNOWLEDGMENTS

My heartfelt thanks, first, to Ben van Beneden, Joris Billen, Eduardo Lamas-Delgado, Dennis and Ronna Newman, Lieneke Nijkamp, and Hans Vlieghe, who all read and responded to earlier drafts of the manuscript. Veerle Allaert, Elena Alonso, Kathleen Borms, Katrijn Van Bragt, Koen Jonckheere, Ute Staes, Erik Tack, Nele Vervoort, Ann Walkers and her colleagues, and the staff of the Archivo Histórico de Protocolos de Madrid generously contributed in various ways, helping to see this project to completion. Finally, I am grateful to Ghent University for additional support of my research.

DANKWOORD

Mijn oprechte dank gaat eerst en vooral uit naar Ben van Beneden, Joris Billen, Eduardo Lamas-Delgado, Dennis en Ronna Newman, Lieneke Nijkamp en Hans Vlieghe, die eerdere versies van het manuscript hebben gelezen en becommentarieerd. Veerle Allaert, Elena Alonso, Kathleen Borms, Katrijn Van Bragt, Koen Jonckheere, Ute Staes, Erik Tack, Nele Vervoort, Ann Walkers en haar collega's en de staf van het Archivo Histórico de Protocolos de Madrid hebben mij op verschillende manieren geholpen om dit project tot een goed einde te brengen. Tot slot ook dank aan de Universiteit Gent voor haar steun aan mijn onderzoek.

FOREWORD

In Antwerp's celebration of the Baroque this year – a citywide spectacle devoted to rethinking and embracing this city's rich Baroque heritage and the relevance of Baroque art, culture, and ideas to Antwerp today – Peter Paul Rubens stands central. Just as his bronze portrait casts its shadow on Antwerp's lively Groenplaats, so too did he play a monumental role in the flourishing art and culture of his time. The heart of creative impulses in Antwerp, the city where he long lived and worked, Rubens was also a seminal figure in the development of the Baroque across Europe. Arguably among the first truly international artists, Rubens traveled extensively, met with kings and queens across Europe, and saw that his work – from his own paintings to painted copies, tapestries, and prints after his designs – spread broadly, with echoes in places as far-flung as Isfahan (Iran) and La Paz (Bolivia).

Rubens nurtured a particularly close relationship with Spain, where his patrons included not only merchants and noblemen but also the Spanish king. Indeed, the completion of this stunning altarpiece was a process begun by Rubens in Antwerp and completed in Madrid, where the painting was framed and installed in the *Real Hospital de San Andrés de los Flamencos*, the city's Flemish charitable hospital. Antwerp is delighted to host the return of Rubens's altarpiece to the city in which the first stage of its production was completed. The research this publication represents sheds new light on the second phase of its completion: the production of its frame. The display of this painting and its original frame in Antwerp serve, then, not only as evidence of the close ties between Antwerp and Madrid, but of the unbounded creativity of the Baroque, which continues to inspire to this day.

Caroline Bastiaens
Vice-Mayor for Culture

VOORWOORD

Tijdens *Antwerpen Barok 2018. Rubens inspireert*, het culturele stadsfestival met oude en nieuwe barok, staan de schijnwerpers op Rubens. Zijn invloed is ongezien: het imposante bronzen standbeeld op de levendige Groenplaats – een landmark in Antwerpen – herinnert ons er dagelijks aan. Rubens was niet alleen hét brandpunt van de artistieke cultuur in Antwerpen, de stad waar hij leefde en werkte. Ook binnen de Europese kunstenwereld is zijn rol nauwelijks te overschatten. Als schilder was hij de eerste die op internationale schaal opereerde. Rubens doorkruiste Europa en was een kunstenaar zonder grenzen. De vraag naar zijn werk was bijzonder groot en met de verspreiding van schilderijen, tapijtenreeksen en prenten speelde hij hier handig op in. Rubens was de meest gezochte schilder van heel Europa en daarbuiten en zijn reputatie reikte zelfs tot in Isfahan (Iran) en La Paz (Bolivia).

Met Spanje heeft Rubens altijd een bijzondere band gehad. Onder zijn prestigieuze opdrachtgevers bevonden zich naast diverse Spaanse handelaars en edellieden, ook de Spaanse koning. Het uitzonderlijke altaarstuk met de marteldood van de H. Andreas getuigt van deze nauwe verwantschap. Rubens werkte het doek in Antwerpen af. De monumentale barokke lijst bracht men aan in Madrid, waar het werk werd geïnstalleerd in de *Real Hospital de San Andrés de los Flamencos*, een Vlaamse liefdadigheidsinstelling. Voor Antwerpen, de thuisstad van de meester, is het een bijzondere eer om dit altaarstuk na bijna 400 jaar opnieuw te tonen op de plaats waar het werd gemaakt, namelijk in het atelier van Rubens. Het onderzoek in deze publicatie werpt niet alleen een nieuw licht op dit meesterwerk, maar ook op de authentieke lijst. Het toont de eindeloze creativiteit van de grootmeester van de barok, die tot op vandaag blijft inspireren.

Caroline Bastiaens
Schepen voor cultuur, economie, stads- en buurtonderhoud,
Patrimonium en erediensten

Rubens's *St. Andrew* "de los Flamencos"

Altarpiece Enframed by a Spanish-Flemish Community

Rubens' *Heilige Andreas* "de los Flamencos"

Altaarstuk omkaderd door een Spaans-Vlaamse gemeenschap

Peter Paul Rubens (1577–1640) painted *The Martyrdom of St. Andrew* (FIG. 1) in 1638–39, at the end of his career.[1] Destined for Madrid's *Real Hospital de San Andrés de los Flamencos*, it is a remarkable painting. The work displays Rubens's masterful rapid brushstrokes and dynamic staging of a composition, marshalled toward a compelling narrative. It confronts the viewer with the saint's stoic endurance and unwavering faith under brutal circumstances.

Yet this emotionally stirring work is not only a stunning example of Rubens's skill at meeting the devotional demands of his time. It is also a closely documented testament to the strong bonds that existed between Spain and Flanders, and more specifically between Madrid and Antwerp.[2] The altarpiece's commission, production, and display can be placed at the center of a network of individuals, bound across great distances by ties of family, profession, and religion. They collaborated in various

FIG. 1
Peter Paul Rubens, *The Martyrdom of St. Andrew*, c. 1638–39, oil on canvas, 306 x 216 cm, Madrid, Real Diputación de San Andrés de los Flamencos – Fundación Carlos de Amberes

AFB. 1
Peter Paul Rubens, *De marteldood van de heilige Andreas*, ca. 1638–39, olieverf op doek, 306 x 216 cm, Madrid, Real Diputación de San Andrés de los Flamencos – Fundación Carlos de Amberes

Peter Paul Rubens (1577–1640) schilderde *De marteldood van de heilige Andreas* (AFB. 1) in 1638–39, aan het einde van zijn carrière.[1] Dit opmerkelijke schilderij was bestemd voor het *Real Hospital de San Andrés de los Flamencos* in Madrid. Het illustreert het meesterschap waarmee Rubens zijn snelle penseelstreken en dynamische compositie volledig ten dienste stelde van een meeslepend verhaal. Het confronteert de toeschouwer met de stoïcijnse lijdzaamheid van de heilige en zijn standvastige geloof, zelfs in de penibelste omstandigheden.

Toch is dit emotioneel geladen werk niet alleen een verbluffend voorbeeld van Rubens' vermogen om in te spelen op de devotionele eisen van zijn tijd: het is tevens een goed gedocumenteerd getuigenis van de sterke banden die toentertijd tussen Spanje en Vlaanderen bestonden, en meer bepaald tussen Madrid en Antwerpen.[2] De opdracht voor en de productie en presentatie van het altaarstuk vonden hun oorsprong in een netwerk van individuen die over een grote afstand met elkaar waren verbonden door familiale, professionele en religieuze banden. Ze werkten op diverse manieren samen en deelden eenzelfde liefde voor kunst en een sterk gevoel voor de specifieke culturele identiteit en de bijzondere talenten van de Vlamingen als onderdanen van de Spaanse kroon.

ways and shared an enthusiasm for art and a strong sense of the distinct cultural identity and particular talents of the Flemish as subjects of the Spanish crown. While the stories of some of these individuals and their connections to this altarpiece have long been known, others have not, and their interwoven connections are freshly illuminated here.

I. THE PAINTING

St. Andrew was patron saint of the Burgundians, who had ruled over much of the Low Countries, including Flanders, from the late fourteenth to the late fifteenth century. Accordingly, he was also patron of the Burgundian Order of the Golden Fleece, with his X-shaped cross serving as the order's insignia.[3] The Spanish kings embraced the Burgundian legacy, along with their hegemony over the Low Countries.[4] St. Andrew was thus particularly significant for Flemish immigrants in Spain, since his patronage underscored the bonds joining Flemish cultural heritage with the elite Habsburg heritage of their Spanish rulers.

St. Andrew was the patron saint of numerous confraternities and other organizations of Flemings in Spain.[5] In Seville, the Flemish immigrant painter Juan de Roelas (c. 1570–1625) was commissioned to paint a Crucifixion of St. Andrew and accom-

Sommige verhalen achter deze individuen en hun connecties met dit altaarstuk zijn al langer bekend, andere niet. Op deze onderlinge relaties zullen we hier proberen nieuw licht te werpen.

I. HET SCHILDERIJ

De heilige Andreas was de patroonheilige van de Bourgondiërs, die van eind veertiende tot eind vijftiende eeuw heersten over een groot deel van de Lage Landen, waaronder Vlaanderen. Hij was bijgevolg ook de patroonheilige van de Bourgondische Orde van het Gulden Vlies, die zijn X-vormige kruis als ordeteken koos.[3] De Spaanse koningen namen de Bourgondische erfenis over, samen met hun heerschappij over de Lage Landen.[4] De heilige Andreas was bijgevolg een bijzonder belangrijke figuur voor de Vlaamse immigranten in Spanje, want zijn bescherming beklemtoonde de banden tussen het Vlaamse culturele erfgoed en het Habsburgse elite-erfgoed van hun Spaanse heersers.

De heilige Andreas was de patroonheilige van talrijke religieuze broederschappen en andere organisaties van Vlamingen in Spanje.[5] In Sevilla kreeg de uit Vlaanderen ingeweken schilder Juan de Roelas (ca. 1570–1625) de opdracht voor het schilderen van een Kruisiging van de heilige Andreas en de bijbehorende

FIG. 2
Juan de Roelas, *The Martyrdom of St. Andrew*, c. 1610, oil on canvas, 520 x 346 cm, Seville, Museo de Bellas Artes

AFB. 2
Juan de Roelas, *De marteldood van de heilige Andreas*, ca. 1610, olieverf op doek, 520 x 346 cm, Sevilla, Museo de Bellas Artes

panying predella panels – with the Calling of Sts. Peter and Andrew and the Preaching of St. Andrew – for the Flemish chapel in the Dominican College of St. Thomas Aquinas in about 1610–15, several decades before Rubens would do the same for the Madrid hospital.[6] Roelas's canvas (FIG. 2), in which St. Andrew is presented frontally and at center, depicts a far more populous cast of characters than that of Rubens: overhead, about a dozen angels and putti form an arc over the saint, while below, numerous figures gesture toward the saint, displaying a range of emotions. Roelas is documented in Valladolid in 1594,[7] so he left Flanders before *The Martyrdom of St. Andrew* (FIG. 3) by Otto van Veen (c. 1556–1629) was installed on the high altar of the Sint-Andrieskerk in Antwerp in 1599.[8] Van Veen's altarpiece – which includes the martyrdom and three predella panels dedicated to Christ and St. Andrew – was commissioned in 1594 by the church, with support from the Spanish king, Philip II, whose interest probably derived from a special devotion to St. Andrew.[9]

Van Veen was Rubens's teacher, and, as has long been recognized, Rubens broadly based the composition of his *St. Andrew* on Van Veen's, with the figure of the crucified saint appearing in the same position, just left of center and turned slightly to increase the painting's illusion of depth. In following Van Veen's model, Rubens offered a reminiscence of home for immigrants from Antwerp,[10] yet he also made numerous changes: bringing the saint slightly closer to the viewer, dispensing with extraneous figures and the two architectural structures Van Veen had included in the background, and darkening the sky to an eerie grey. Gone are the garish pinks and yellows of Van Veen's painting, replaced with a much more limited palette of greys and browns and, in a few places, deep red.

predellapanelen – met een voorstelling van de *Roeping van de heiligen Petrus en Andreas* en de *Prediking van de heilige Andreas* – voor de Vlaamse kapel in het Dominicaanse College van de heilige Thomas van Aquino rond 1610–15, verscheidene decennia voordat Rubens hetzelfde zou doen voor het Madrileense hospitaal.[6] Het doek van Roelas (AFB. 2), dat de heilige Andreas frontaal en centraal afbeeldt, is veel drukker bevolkt dan dat van Rubens: bovenaan vormt een dozijn engelen en putti een boog over de heilige, terwijl onderaan talrijke figuren naar de heilige wijzen, met gezichten die uiteenlopende emoties verraden. Roelas is gedocumenteerd in Valladolid in 1594,[7] dus hij verliet Vlaanderen voordat *De marteldood van de heilige Andreas* (AFB. 3) van Otto van Veen (ca. 1556–1629) in 1599 op het hoogaltaar van de Sint-Andrieskerk in Antwerpen werd geplaatst.[8] Van Veens altaarstuk – dat de marteldood en drie predellapanelen gewijd aan Christus en de heilige Andreas omvat – was in 1594 door de kerk besteld, met de steun van de Spaanse koning, Filips II. Diens belangstelling voor dit thema hield wellicht verband met zijn bijzondere devotie voor de heilige Andreas.[9]

Van Veen was Rubens' leermeester, en zoals al geruime tijd wordt aangenomen, baseerde Rubens de compositie van zijn *Heilige Andreas* op die Van Veen. Hij beeldt de figuur van de gekruisigde heilige af in dezelfde positie, net links van het middelpunt en lichtjes gedraaid om de illusie van diepte te versterken. Door Van Veens model na te volgen, riep Rubens bij de immigranten uit Antwerpen herinneringen aan huis op.[10] Toch voerde hij ook talrijke wijzigingen door: hij plaatste de heilige veel dichter bij de toeschouwer, hij liet enkele onbelangrijke figuren en de twee architecturale structuren die Van Veen op de achtergrond had geplaatst achterwege, en hij verduisterde de hemel tot een dreigend grijs. De felle roze en gele tinten van Van Veens schilderij verving hij door een veel beperkter palet van grijze en bruine tinten en, op sommige plaatsen, dieprood.

FIG. 3
Otto van Veen, *The Martyrdom of St. Andrew*, 1594–99, oil on panel, 287 x 437 cm, Antwerp, Sint-Andrieskerk

AFB. 3
Otto van Veen, *De marteldood van de heilige Andreas*, 1594–99, olieverf op paneel, 287 x 437 cm, Antwerpen, Sint-Andrieskerk

As had Van Veen before him, Rubens followed the story of St. Andrew as told in Jacobus de Voragine's *Golden Legend*, written in about 1260. After Christ's death, Andrew had traveled to various places, finally settling in Greece, where he converted many people, including Maximilla, the wife of the Roman proconsul Aegeus. After several confrontations in the city of Patras, in which the proconsul demanded that Andrew sacrifice to the Roman idols and the apostle refused, Aegeus ordered Andrew's crucifixion and executioners attached him to the cross. For two days, as he hung on the cross, Andrew preached to crowds of 20,000 people. Rubens presents a moment on Andrew's third day on the cross. Aegeus, under pressure from the distressed populace, ordered that Andrew be taken down from the cross, and several soldiers in Rubens's painting have begun to loosen the knots binding him. Yet Andrew said to Aegeus, "I will not come down alive, for already I see my king awaiting me." He then began to pray, and as he concluded his prayer, he was engulfed in heavenly light. When the light faded, he expired.[11]

While Van Veen presented the apostle within a golden aureole, in Rubens's depiction the heavenly light seems to emanate outward from the saint's body. With his characteristic attention to the nuances of emotion and human interaction, Rubens portrays an exchange between Aegeus and Maximilla, who pleads with her husband to show mercy. Below the cross and in a hazy distance, figures have assembled and look on with concern. Yet unlike the chaotic hordes in Van Veen's scene, Rubens has economically cut down his cast to those most directly involved in Andrew's final moments on earth.

Rubens made a rough preliminary sketch for the painting in pen and brown ink (FIG. 4) and probably also a modello, the composition of which is known only from copies, which suggest it differed in certain respects from the final painting.[12]

Net als Van Veen volgde Rubens het verhaal van de heilige Andreas zoals verteld in de *Legenda Aurea* van Jacobus de Voragine uit ca. 1260. Na de dood van Christus reisde de apostel Andreas naar diverse plaatsen, tot hij zich definitief in Griekenland vestigde. Hij bekeerde er talloze mensen, waaronder Maximilla, de echtgenote van de Romeinse proconsul Aegeus. Na verscheidene confrontaties in de stad Patras, waarbij de proconsul eiste dat Andreas zou offeren aan de Romeinse goden en de apostel dat weigerde, gaf Aegeus opdracht Andreas te kruisigen. De beulen bonden hem aan het kruis vast, en twee dagen lang bleef hij eraan hangen, terwijl hij predikte voor menigten van 20.000 mensen. Rubens beeldt een moment af op de derde dag dat Andreas aan het kruis hing. Onder druk van de verschrikte menigte beval Aegeus Andreas van het kruis te halen, en op Rubens' schilderij zien we hoe enkele soldaten de knopen van de touwen waarmee hij is vastgebonden los beginnen te maken. Toen zei Andreas tot Aegeus, "Ik zal niet levend van het kruis komen, want ik zie al dat mijn koning mij opwacht." Hij begon te bidden, en aan het einde van zijn gebed werd hij door een hemels licht omhuld. Toen het licht verdween, gaf hij de geest.[11]

Terwijl Van Veen de apostel met een gouden aureool afbeeldt, lijkt op Rubens' voorstelling het hemelse licht uit het lichaam van de heilige zelf te stralen. Met zijn typische aandacht voor de nuances van de menselijke gevoelens en interacties toont Rubens ook een woordenwisseling tussen Aegeus en Maximilla, die haar echtgenoot smeekt genade te tonen. Onder het kruis en in de wazige verte kijkt een aantal figuren bezorgd toe, maar in tegenstelling tot de wanordelijke hordes op Van Veens tafereel, beperkte Rubens zijn figuranten tot die welke direct betrokken waren bij Andreas' laatste levensmomenten op aarde.

Rubens tekende een ruwe voorstudie voor het schilderij met de pen en bruine inkt (AFB. 4), en waarschijnlijk ook een modello, waarvan de compositie enkel bekend is via kopieën die doen vermoeden dat het in bepaalde opzichten afweek van het uiteindelijke schilderij.[12]

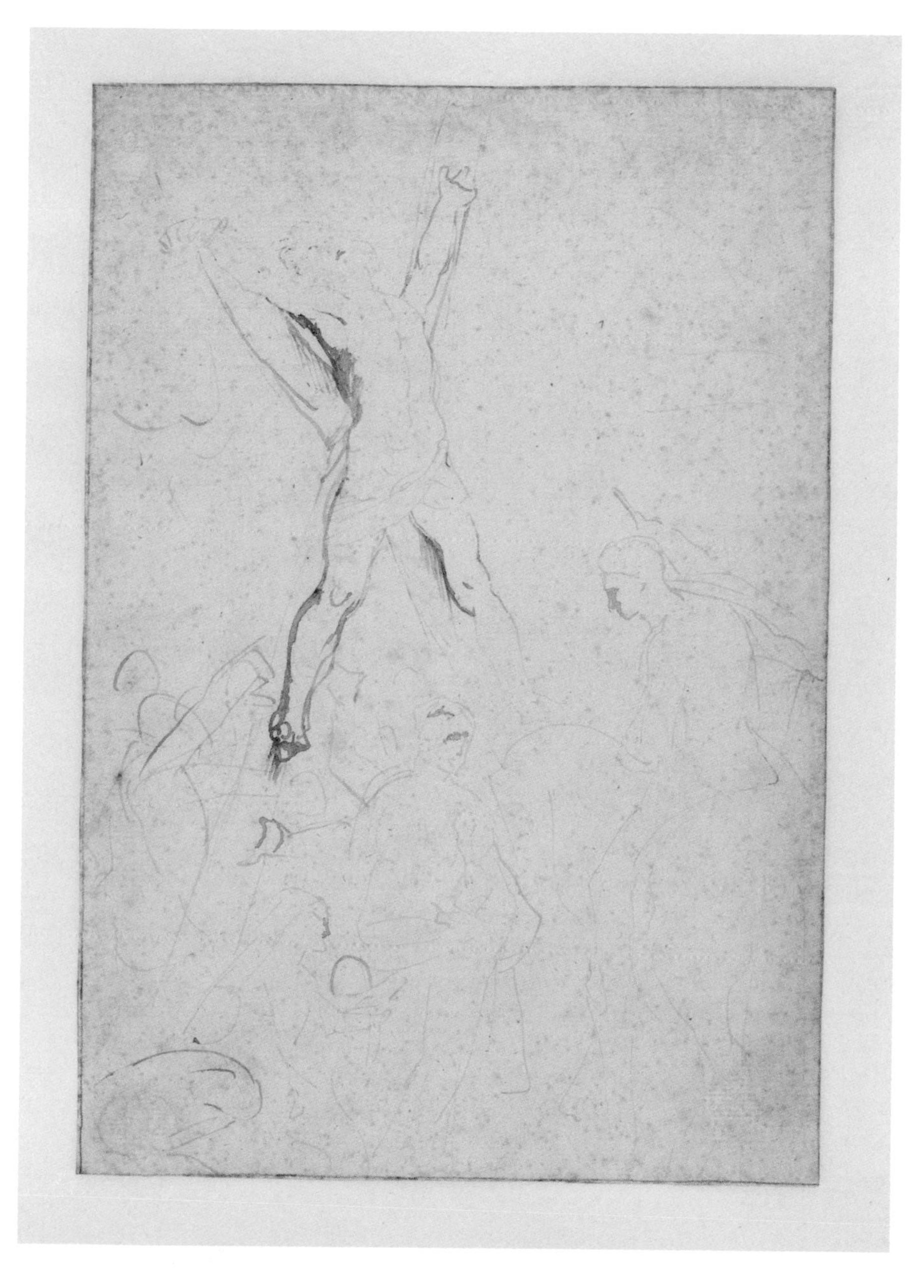

FIG. 4
Peter Paul Rubens, *The Martyrdom of St. Andrew*, c. 1638, pen and brown ink, 27 x 18.4 cm, Rotterdam, Museum Boijmans Van Beuningen

AFB. 4
Peter Paul Rubens, *De marteldood van de heilige Andreas*, ca. 1638, pen en bruine inkt, 27 x 18,4 cm, Rotterdam, Museum Boijmans Van Beuningen

II. VISUAL ECHOES IN MADRID AND BEYOND

While the display of Rubens's painting was positioned at the center of the community of Flemish immigrants in Madrid, it also attracted attention beyond this community. At least two engravings of the composition were produced in seventeenth-century Antwerp: one by Antony van der Does (1609–1680) and a second by Alexander Voet II (1635–after 1695) (FIG. 5). An additional print was engraved by Ernst Karl Gottlieb Thelot in Dusseldorf in 1816.[13] While the prints served to broadly disseminate Rubens's composition, the painting's presence in Madrid ensured that numerous Spanish artists saw it and responded to it directly.[14] In a collection of artists' lives published in 1724, the Spanish painter and writer Antonio Palomino (1655–1726) described Rubens's *St. Andrew* as "famous," a nod to the painting's renown in Spain.[15]

Spanish depictions of the Martrydom of St. Andrew, painted after Rubens's work was installed, generally follow the model presented by Van Veen, Roelas, and Rubens: a direct and vertical presentation of the crucified saint amidst a crowd of both followers and persecutors. Most seventeenth-century Spanish painters would have known this model either from seeing Rubens's painting in Madrid's *Hospital de San Andrés de los Flamencos* or from familiarity with the prints after it. Yet this composition was not the only model.

In 1615–16 the Italian-born Madrid artist Vicente Carducho (1576–1638) had painted the crucified St. Andrew for the Cathedral of Toledo (FIG. 6). In his depiction, the apostle appears alone in a vague setting, his limbs on the X-shaped cross stretching to the corners of a narrow, vertical canvas. The sparse setting and lack of further narrative elements relate, however, to the work's function: it was not part of an altarpiece but rather one of a pair of depictions of individual saints that Carducho painted for the cathedral, probably to flank the sacristy door.[16]

II. VISUELE SPOREN IN MADRID EN ERBUITEN

Hoewel Rubens' schilderij een centrale plaats innam in de gemeenschap van Vlaamse inwijkelingen in Madrid, kon het ook op belangstelling van buiten deze gemeenschap rekenen. In het 17e-eeuwse Antwerpen werden op zijn minst twee gravures van de compositie uitgevoerd: een door Antony van der Does (1609–1680), en een tweede door Alexander Voet II (1635–na 1695) (AFB. 5). Nog een andere prent werd in 1816 door Ernst Karl Gottlieb Thelot in Düsseldorf gegraveerd.[13] Deze prenten dienden om Rubens' compositie ruimere bekendheid te geven, terwijl de aanwezigheid van het schilderij in Madrid ervoor zorgde dat veel Spaanse kunstenaars het werk zagen en er onmiddellijk op konden reageren.[14] In zijn verzameling kunstenaarslevens uit 1724 beschreef de Spaanse schilder en schrijver Antonio Palomino (1655–1726) Rubens' *Heilige Andreas* als een "beroemd" werk, een verwijzing naar de grote faam die het schilderij in Spanje genoot.[15]

De meeste Spaanse afbeeldingen van de marteldood van de heilige Andreas die werden geschilderd nadat Rubens' werk in de kerk werd geplaatst, volgen het model van Van Veen, Roelas en Rubens, met een directe en verticale voorstelling van de gekruisigde heilige tussen een menigte van zowel volgelingen als vijanden. De meeste 17e-eeuwse Spaanse schilders kenden dit model wellicht hetzij omdat ze Rubens' schilderij hadden gezien in het *Hospital de San Andrés de los Flamencos* in Madrid, hetzij omdat ze bekend waren met de ervan afgeleide prenten. Toch was deze compositie niet het enige model.

In 1615–16 had de in Italië geboren Madrileense kunstenaar Vicente Carducho (1576–1638) de gekruisigde heilige Andreas geschilderd voor de kathedraal van Toledo (AFB. 6). Op deze voorstelling wordt de apostel helemaal alleen afgebeeld, tegen een vage achtergrond; zijn op het X-vormige kruis

FIG. 5
Alexander Voet II after Peter Paul Rubens, *The Martyrdom of St. Andrew*, c. 1655–61, engraving, 58 x 46.9 cm, London, The British Museum

AFB. 5
Alexander Voet II naar Peter Paul Rubens, *De marteldood van de heilige Andreas*, ca. 1655–61, gravure, 58 x 46,9 cm, Londen, The British Museum

FIG. 6
Vicente Carducho, *The Martyrdom of St. Andrew*, 1615, oil on canvas, 230 x 100 cm, Toledo, Cathedral

AFB. 6
Vicente Carducho, *De marteldood van de heilige Andreas*, 1615, olieverf op doek, 230 x 100 cm, Toledo, Kathedraal

uitgestrekte ledematen reiken tot aan de hoeken van het smalle, verticale canvas. De sobere setting en de afwezigheid van elk ander verhalend element houden verband met de functie van het werk: het was geen onderdeel van een altaarstuk maar was een van de twee voorstellingen van individuele heiligen die Carducho in opdracht van de kathedraal schilderde, waarschijnlijk om de sacristiedeur te flankeren.[16]

Een schilderij van de marteldood van de apostel uit 1628 of 1638 door de Spaanse schilder Jusepe de Ribera (1591–1652), die het grootste deel van zijn carrière in het door Spanje bestuurde Napels doorbracht, toont een ander moment in het verhaal met een totaal andere compositie: Andreas zit op het kruis terwijl zijn beulen hem aan de balken vastknopen, en zijn gezicht is slechts in profiel te zien (AFB. 7).[17] Toch was het Rubens' voorstellingswijze van de marteldood van Andreas die de grootste indruk op de zeventiende-eeuwse Spaanse schilders lijkt te hebben gemaakt.

Een kleine kopie (91 x 71 cm) van Rubens' compositie (AFB. 8) is toegeschreven aan Francisco Rizi (1614–1685).[18] Rizi was inderdaad een van de vroegste Spaanse schilders die zich direct inspireerde op Rubens' model, op een schilderij van de kruisiging van de apostel uit 1646. Hier is het tafereel van de marteldood kleinschalig op de achtergrond afgebeeld, terwijl de heilige, die het kruis als attribuut draagt, de voorgrond inneemt (AFB. 9).[19] Er is geopperd dat Rizi naar dit onderwerp terugkeerde op een schets (AFB. 10), waarschijnlijk getekend vóór 1676, die enkele jaren later als basis diende voor een schilderij – met de compositie in spiegelbeeld – van Francisco Ignacio Ruiz de la Iglesia (1649–1703) (AFB. 11).[20] Zowel de schets van Rizi als het schilderij van Ruiz de la Iglesia volgen Rubens' model door het kruis lichtjes schuin voor te stellen, maar hier is deze hoek groter gemaakt.

Een tekening van de marteldood van de heilige Andreas (AFB. 12) – waarvan lange tijd werd aangenomen dat ze van de hand van Alonso Cano (1601–1667) was, hoewel ze recenter en controversiëler is toegeschreven aan de Spaanse architect

FIG. 7
Jusepe de Ribera, *The Martyrdom of St. Andrew*, oil on canvas, 206.1 x 177.7 cm, Budapest, Szépművészeti Múzeum

AFB. 7
Jusepe de Ribera, *De marteldood van de heilige Andreas*, 1628 of 1638, olieverf op doek, 206,1 x 177,7 cm, Boedapest, Szépművészeti Múzeum

A painting of the apostle's martyrdom from 1628 or 1638 by the Spanish painter Jusepe de Ribera (1591–1652), who spent most of his career in Spanish-controlled Naples, presents an alternative moment in the story, with an altogether different composition: Andrew appears seated on the cross, his captors still busily attaching him to its beams and his face visible to the viewer only in profile (FIG. 7).[17] Yet it was Rubens's envisioning of the martyrdom that seems to have been the most compelling to Spanish painters in the seventeenth century.

A small-scale copy (91 x 71 cm) of Rubens's composition (FIG. 8) has been attributed to Francisco Rizi (1614–1685),[18] and indeed Rizi was among the earliest Spanish painters to respond directly to

Juan Gómez de Mora (1586–1648) – benadrukt de prominente vorm van het opgerichte kruis, zoals op het schilderij van Rubens. Dit werk is door sommigen rond 1657 gedateerd, hoewel de recentste datering 1636 is, dus nog vóór Rubens' compositie. Deze ruwe schets stond centraal in een ontwerp voor een nieuw hoogaltaar voor de San Andréskerk in Madrid. Hoewel de renovatiewerken – na veel wederwaardigheden – eindelijk werden voltooid in 1657–62, zou de kerk nooit door een dergelijk schilderij worden versierd.[21]

Misschien het bekendste Spaanse schilderij dat Rubens' model navolgt, is *De marteldood van de heilige Andreas* van Bartolomé Esteban Murillo (1618–1682) uit 1675–82 (AFB. 13).[22] Murillo ver-

FIG. 8
After Peter Paul Rubens (Francisco Rizi?), *The Martyrdom of St. Andrew*, oil on canvas, 91 x 71 cm, Toledo, Museo del Greco

AFB. 8
Naar Peter Paul Rubens (Francisco Rizi?), *De marteldood van de heilige Andreas*, olieverf op doek, 91 x 71 cm, Toledo, Museo del Greco

Rubens's model in a 1646 painting of the apostle's crucifixion. Here, the scene of the vertical martyrdom appears in small scale in the background, with the saint bearing his cross as an attribute in the foreground (FIG. 9).[19] It has been proposed that Rizi returned to this subject in a sketch (FIG. 10), probably drawn before 1676, which then served as the basis some years later for a painting – with the composition reversed – by Francisco Ignacio Ruiz de la Iglesia (1649–1703) (FIG. 11).[20] Both Rizi's sketch and Ruiz de la Iglesia's painting follow Rubens's model in presenting the cross slightly obliquely, but this angle has now been made more extreme.

A drawing of the Martyrdom of St. Andrew (FIG. 12) – long thought to be by Alonso Cano (1601–1667), though more recently and controversially attributed to the Spanish architect Juan Gómez de Mora (1586–1648) – features the prominent form of the vertical raised cross, as in Rubens's painting. At times dated to about 1657, the most recent dating places it in 1636, thus before Rubens's composition. This rough sketch appears at the center of a design for a new high altar for Madrid's Church of San Andrés. While the renovations – after fits and starts – would finally come to fruition in 1657–62, ultimately no such painting would adorn the church.[21]

Perhaps the most famous Spanish painting to descend from Rubens's model is Bartolomé Esteban Murillo's (1618–1682) *Martyrdom of St. Andrew* of 1675–82 (FIG. 13).[22] Murillo expanded the composition on both sides, increasing the number of figures and adding architectural elements in the background. He also eliminated the interaction between the proconsul and his wife. The effect is altogether different: less focus on the tense interactions among the figures, with all attention directed toward the saint, whose cross is here slightly twisted, so that his right foot extends forward toward the viewer.

breedde de compositie aan beide zijden, gebruikte meer figuren en voegde architecturale elementen toe op de achtergrond. Hij elimineerde tevens de interactie tussen de proconsul en zijn vrouw. Dit schept een totaal ander effect, met minder nadruk op de gespannen interactie tussen de figuren terwijl alle aandacht naar de heilige uitgaat; het kruis wordt hier ietwat vervormd afgebeeld, zodat zijn rechtervoet lichtjes naar voren komt.

FIG. 9
Francisco Rizi, *The Martyrdom of St. Andrew*, 1646, oil on canvas, 247 x 140 cm, Madrid, Museo Nacional del Prado

AFB. 9
Francisco Rizi, *De marteldood van de heilige Andreas*, 1646, olieverf op doek, 247 x 140 cm, Madrid, Museo Nacional del Prado

FIG. 10
Francisco Rizi, *The Martyrdom of St. Andrew*, pen and watercolor on paper squared with pencil, 59.6 x 29.7 cm, Collection Abelló

AFB. 10
Francisco Rizi, *De marteldood van de heilige Andreas*, pen en waterverf op met potlood geruit papier, 59,6 x 29,7 cm, Collectie Abelló

FIG. 11
Francisco Ignacio Ruiz de la Iglesia, *The Martyrdom of St. Andrew*, 1696, oil on canvas, 810 x 413 cm, Casarrubios del Monte, Parish Church

AFB. 11
Francisco Ignacio Ruiz de la Iglesia, *De marteldood van de heilige Andreas*, 1696, olieverf op doek, 810 x 413 cm, Casarrubios del Monte, Parochiekerk

FIG. 12
Alonso Cano or Juan Gómez de Mora?, *Design for an Altarpiece Dedicated to St. Andrew*, c. 1636, grey-brown wash and pencil on yellow laid paper, 28.6 x 12.4 cm, Madrid, Museo Nacional del Prado

AFB. 12
Alonso Cano of Juan Gómez de Mora?, *Ontwerp voor een Altaarstuk toegewijd aan de heilige Andreas*, ca. 1636, potlood en gewassen in grijsbruin op geel geschept papier, 28,6 x 12,4 cm, Madrid, Museo Nacional del Prado

FIG. 13
Bartolomé Esteban Murillo, *The Martyrdom of St. Andrew*, 1675–82, oil on canvas, 123 x 162 cm, Madrid, Museo Nacional del Prado

AFB. 13
Bartolomé Esteban Murillo, *De marteldood van de heilige Andreas*, 1675–82, olieverf op doek, 123 x 162 cm, Madrid, Museo Nacional del Prado

III. THE *REAL HOSPITAL DE SAN ANDRÉS DE LOS FLAMENCOS*

Centuries of commercial exchange between Spain and Flanders had been undergirded by close political bonds, bringing Flanders under the sovereignty of the Spanish crown. These ties nurtured the development of shared cultural values. Spain had long looked to Flanders as producer of its most treasured visual material: from tapestries decorating royal, noble, and ecclesiastical buildings to paintings priced for a broad clientele. In Rubens's altarpiece for Madrid's Flemish charitable institution, the *Real Hospital de San Andrés de los Flamencos* – governed by and supporting the city's Flemish immigrant community – we encounter a work that reveals how the Spanish and Flemish societies of the seventeenth century so often operated in conjunction. The hospital was under the patronage of the king, and its administrators were generally members of the *Noble Guardia de Arqueros de Corps*, the Spanish king's exclusive Burgundian bodyguard, which was limited to immigrants from the 17 Netherlandish provinces and the former Duchy of Burgundy, as well as their descendants.[23]

The hospital had been conceived in 1594 by an Antwerp merchant, known in Spain as Carlos de Amberes, who had settled in Madrid at least a decade earlier.[24] A portrait (FIG. 14) presents him soberly clad, piously praying before a small wooden crucifix on which a fully embodied Christ – perhaps a painted sculpture – appears. Since Carlos de Amberes's will would ask that prayers be said for his soul before an image of a crucifix,[25] the choice of devotional object here was probably not coincidental. He appears on a hill, a rolling landscape stretching out behind him beneath a darkly clouded sky. An inscription below the portrait records that

FIG. 14
Anonymous, *Portrait of Carlos de Amberes*, oil on canvas, 112 x 159 cm, Madrid, Real Diputación de San Andrés de los Flamencos – Fundación Carlos de Amberes

III. HET *REAL HOSPITAL DE SAN ANDRÉS DE LOS FLAMENCOS*

De eeuwenlange handelsbetrekkingen tussen Spanje en Vlaanderen werden geschraagd door nauwe politieke banden, waardoor Vlaanderen onder de soevereiniteit van de Spaanse kroon kwam te staan. Deze banden bevorderden de ontwikkeling van gemeenschappelijke culturele waarden. Spanje had zich al lange tijd tot Vlaanderen gewend voor de productie van zijn waardevolste visuele materiaal, gaande van wandtapijten die koninklijke, adellijke en kerkelijke gebouwen tooiden tot schilderijen voor een bredere cliënteel. Rubens' altaarstuk was bestemd voor het *Real Hospital de San Andrés de los Flamencos*, een Vlaamse liefdadigheidsinstelling in Madrid die werd bestuurd door en steun verleende aan de Vlaamse migrantengemeenschap. Het werk illustreert de manier waarop de Spaanse en de Vlaamse 17e-eeuwse gemeenschappen heel vaak samen werkten. Het hospitaal stond onder de bescherming van de koning en de meeste bestuurders waren lid van de *Noble Guardia de Arqueros de Corps*, de exclusief Bourgondische lijfwacht van de Spaanse koning die was voorbehouden voor immigranten uit de 17 Nederlandse provinciën en uit het voormalige hertogdom Bourgondië, evenals hun afstammelingen.[23]

Het hospitaal was in 1594 ontworpen door een Antwerps koopman die in Spanje bekendstond als Carlos de Amberes en die zich minstens een decennium eerder in Madrid had gevestigd.[24] Op een portret (AFB. 14) zien we hem, sober gekleed en vroom biddend voor een klein houten kruisbeeld met een levensechte Christus (misschien een geschilderd beeldhouwwerk). In zijn testament vroeg Carlos de Amberes dat er voor zijn zielenheil zou worden gebeden voor een kruisbeeld[25] – de keu-

AFB. 14
Anoniem, *Portret van Carlos de Amberes*, olieverf op doek, 112 x 159 cm, Madrid, Real Diputación de San Andrés de los Flamencos – Fundación Carlos de Amberes

ESTE RETRATO ES DE CARLOS NATVRAL DE LA CIVDAD DE AMVERES EL QVAL
DEXÓ ESTA CASA PARA FVNDAR EN ELLA ESTE OSPITAL DEL GLORIOSO APOSTOL
SAN ANDRES PARA RECOGER LOS POBRES PEREGRINOS NATVRAL DE LAS 17 PRO
VINCIAS DE LOS PAYSES BAJOS ESTADOS DEL REY NRO S.OR FALECIÓ AÑO DE 1604
DIOS TENGA SV ALMA EN LA GLA AMEN. SE EMPEZÓ LA FABRICA DE LA YGLESIA
EN PRIMERO DE OTVBRE DE 1606. SIENDO SV TESTAMENTARIO MIGVEL DE
FRENE ARCHERO RESERVADO DE SV MAG.D LA MANDÓ LABRAR Y SE DIXO LA
PRIMERA MISSA EL DÍA DE NRA SEÑORA DE LA PRESENTACION AÑO DE 1607

he was from Antwerp and recounts the details of his bequest.[26]

Two years after his death in 1604 at the age of 74, the hospital was officially founded with his bequest under the direction of his executor, Miguel de Frêne, one of several archers in the *Noble Guardia* with whom Carlos de Amberes had established close ties.[27] De Amberes had deeded his properties on the Calle de San Marcos, among several others, to found the hospital, which would include a church, infirmary, and lodging for pilgrims and other poor visitors from the Low Countries. The institution's initial chapel was finished in 1607 and royal patronage confirmed in 1609. A new church building would be commissioned from Juan Gómez de Mora in 1621.[28]

By about 1605, a confraternity devoted to San Andrés was also active. Among other activities, it assisted with the medical costs of sick members, assumed burial costs when necessary, and provided aid to members' widows.[29] All archers paid dues to the confraternity, and thus guard, confraternity, and hospital functioned as overlapping, mutually supportive institutions.[30] While numerous charitable organizations were founded in Madrid in the same period to represent those from different regions – from as near as Navarre and Aragon to as far as Portugal, France, Italy, and Ireland – the Flemish presence in Madrid and the strength of this community's organizations arguably reflect the potent cultural bond between the Low Countries and Spain.[31]

Surviving documents reveal the affiliations of various Low Countries immigrant artists with the Madrid hospital. For example, in a testament of 1648, the Utrecht-born painter Cornelis de Beer (1586–1651) and his wife requested that masses be said in the hospital for their souls after their deaths.[32] The painter Juan Baptista van Essen from Antwerp asked in his testament of 1667 that he be buried in the hospital,[33] while his fellow Antwerp native, the painter Jaime van Sorxe, drafted a testament in August of 1670 stating that he was living in lodgings at the hospital.[34]

ze van dit devotievoorwerp was dus waarschijnlijk niet toevallig. Op het schilderij wordt hij geknield afgebeeld op een heuvel waarachter zich een glooiend landschap onder een donkere, zwaarbewolkte hemel uitstrekt. De inscriptie onder het portret leert dat hij uit Antwerpen afkomstig was en verschaft ook de details van zijn legaat.[26]

Twee jaar na de dood van de koopman op 74-jarige leeftijd in 1604, werd het hospitaal dankzij zijn legaat officieel gesticht, onder toezicht van zijn executeur-testamentair, Miguel de Frêne, een van de boogschutters van de *Noble Guardia* met wie Carlos de Amberes goed bevriend was.[27] De Amberes had zijn eigendommen, onder meer die aan de Calle de San Marcos, bij akte overgedragen voor de oprichting van een hospitaal dat zou bestaan uit een kerk, een ziekenzaal en verblijven voor pelgrims en andere arme bezoekers uit de Lage Landen. De oorspronkelijke kapel van de instelling werd in 1607 voltooid, terwijl het koninklijke beschermheerschap in 1609 werd bevestigd. In 1621 kreeg Juan Gómez de Mora opdracht voor het bouwen van een nieuw kerkgebouw.[28]

Tegen 1605 was er ook een broederschap toegewijd aan San Andrés actief. Het droeg bij tot de medische kosten van zieke leden, nam indien nodig de begrafeniskosten voor zijn rekening en bood hulp aan de weduwen van leden.[29] Alle boogschutters betaalden een contributie aan de broederschap, en zodoende functioneerden lijfwacht, broederschap en hospitaal als overlappende, elkaar steunende instellingen.[30] Terwijl in dezelfde periode in Madrid talrijke liefdadigheidsorganisaties werden gesticht die immigranten uit verschillende andere regio's vertegenwoordigden – gaande van het nabijgelegen Navarra en Aragón tot verre gebieden als Portugal, Frankrijk, Italië en Ierland – weerspiegelden de Vlaamse aanwezigheid in Madrid en de kracht van de organisaties van deze gemeenschap duidelijk de sterke culturele band tussen de Lage Landen en Spanje.[31]

IV. THE MERCHANT AND HIS BEQUEST

In wishing to leave a bequest to this hospital, Jan van Vucht, a rich Flemish merchant (*mercader de lonja*[35]) based in Madrid, used his strong professional ties to Antwerp to engage the services of the city's most admired painter, Rubens, who was at that time among Europe's most renowned artists. Rubens had visited Madrid twice and counted numerous Spaniards among his longtime patrons, not least of whom was the Spanish king. He must have taken pleasure in the opportunity to paint the patron saint of the Burgundians specifically for the Flemish community abroad. Van Vucht left coordination of the frame's production to two Flemish immigrant artists living in Madrid, each deeply embedded in the same Flemish-Spanish network in which the merchant operated. Both artists served in the king's royal Burgundian bodyguard, pursuing business and artistic ventures on the side. A web of Spanish-Flemish connections extends outward from this altarpiece, whose glittering yet deeply wrenching surface would be displayed at the fulcrum of Madrid's Flemish community as an inspiration to immigrant Flemings and Spaniards alike and as a reminder of the shared visual language uniting these regions.

Born in Helmond in Brabant, Jan van Vucht settled in Madrid, where he served as the representative of Antwerp's renowned Plantin publishing house.[36] Van Vucht and later his son, Pedro (b. 1622),[37] who would also become a merchant, assembled fine collections of Flemish painting, with some works presumably purchased in Madrid but with others ordered directly from Antwerp.[38] An inventory and appraisal of Jan van Vucht's possessions, drawn up at the time of his wife's death in 1628, offers at least a general sense of his tastes. The inventory reveals a tremendous sensitivity to materials, whether different kinds of cloth or wood or even the supports for paintings. The bulk of this

Bewaarde documenten illustreren de banden die verscheidene uit de Lage Landen ingeweken kunstenaars met het Madrileense hospitaal hadden. Zo vroegen de in Utrecht geboren schilder Cornelis de Beer (1586–1651) en zijn vrouw in hun testament uit 1648 dat na hun dood missen voor hun zielenheil in het hospitaal zouden worden opgedragen.[32] De schilder Juan Baptista van Essen uit Antwerpen drukte in zijn testament uit 1667 de wens uit om in het hospitaal te worden begraven,[33] terwijl de eveneens uit Antwerpen afkomstige schilder Jaime van Sorxe in augustus 1670 een testament opmaakte waarin hij verklaarde dat hij in kamers in het hospitaal verbleef.[34]

IV. DE KOOPMAN EN ZIJN LEGAAT

Met het oog op de schenking van een legaat aan dit hospitaal, gebruikte Jan van Vucht, een rijke in Madrid gevestigde Vlaamse koopman (*mercader de lonja*[35]) zijn hechte professionele banden met Antwerpen om een beroep te kunnen doen op de diensten van de meeste bewonderde schilder van de stad, Rubens, die toentertijd tot de beroemdste kunstenaars van Europa behoorde. Rubens had Madrid al twee keer bezocht en telde veel Spanjaarden onder zijn oude beschermheren, waaronder niemand minder dan de Spaanse koning. Hij zal dan ook de kans om de patroonheilige van de Bourgondiërs speciaal voor de Vlaamse gemeenschap in het buitenland te schilderen met beide handen hebben aangegrepen. Van Vucht liet de coördinatie van de productie van de schilderijlijst over aan twee ingeweken Vlaamse kunstenaars die in Madrid woonden en allebei deel uitmaakten van hetzelfde Vlaams-Spaanse netwerk waarin ook de koopman actief was. Beide kunstenaars waren lid van de koninklijke Bourgondische lijfwacht en waren daarnaast ook zakelijk en artistiek actief. Er ligt dan ook een complex web van Spaans-Vlaamse connecties aan de basis van dit al-

inventory treats what must have been Van Vucht's stock: items of linen and clothing composed of rich, often colorful materials, with much decoration, all precisely described. Large quantities of handkerchiefs, napkins, bedclothes, doublets, stockings, and garters are described in such materials as damask, silk, satin, taffeta, wool, and velvet, with their origins traced to Cambrai (in present-day France) and Holland, among other places, in shades of blue, green, red, and beige, not to mention black and white. Gold and silver trimmings and lace fringes make clear the elegant nature of much of his stock. He also had the fabrics and accessories used to make such clothing.[39]

The items mentioned that were presumably not for sale – the furnishings of his house – are also enumerated with the same attention to materials: walnut chairs and tables, ebony cabinets decorated with ivory, a pine chest of drawers.[40] His tapestry of Moses and the Ten Commandments was composed of silk, gold, and silver. His black and white enamel images of the Virgin (recto) and St. Francis (verso) rested on a shared gold support. Another more colorful enamel of St. James in his possession was adorned with five small diamonds. Van Vucht also owned two crucifixes crafted of ebony and ivory.[41]

The inventory's material precision extends to Van Vucht's 67 paintings, which were on canvas, panel, and copper, their oil paint sometimes mentioned; some hung in ebony frames, others in gilded ones.[42] The subject matter of each painting is also carefully listed. While 21 represented devotional subjects from the New Testament, along with six paintings of the creation and two additional Old Testament scenes, the majority of Van Vucht's paintings treated a range of more secular subject matter: from landscapes and a stormy seascape to still lifes of fruit and flowers, from depictions of the seasons and the months to narratives from classical mythology and history.[43] Only four paintings in the inventory were attributed to particular painters: two mythological paintings to "ban bal," perhaps Hendrick van Balen

taarstuk, waarvan de schitterende maar prangende voorstelling in het hart van de Vlaamse gemeenschap in Madrid te zien was. Ze diende tegelijk als inspiratie voor zowel de ingeweken Vlamingen als de Spanjaarden én als herinnering aan de gemeenschappelijke beeldtaal die deze regio's met elkaar verbond.

De in Helmond (Brabant) geboren Jan van Vucht vestigde zich in Madrid als vertegenwoordiger van de befaamde Antwerpse uitgeverij Plantin.[36] Van Vucht, en later zijn zoon Pedro (geb. 1622),[37] die ook koopman zou worden, verzamelden fraaie collecties Vlaamse schilderijen; sommige werken kochten ze vermoedelijk in Madrid, andere bestelden ze rechtstreeks in Antwerpen.[38] Een inventaris en taxatie van Jan van Vuchts bezittingen die bij het overlijden van zijn vrouw in 1628 werd opgesteld, geeft ons een algemeen beeld van zijn artistieke smaak. Er spreekt een ongelooflijke gevoeligheid voor materialen uit, of het nu gaat om allerhande soorten stof of hout dan wel om de dragers van schilderijen. Het gros van deze inventaris beschrijft wat wellicht de handelsvoorraad van Jan van Vucht was: stukken linnen of kleding gemaakt van kostelijke, vaak kleurrijke materialen met veel versiersels, allemaal gedetailleerd beschreven. Grote hoeveelheden zakdoeken, servetten, beddengoed, wambuizen, kousen en kousenbanden worden beschreven in materialen als damast, zijde, satijn, taf, wol en fluweel, afkomstig uit onder meer Kamerijk (in het huidige Frankrijk) en Holland, en in kleuren als blauw, groen, rood en beige, zonder zwart en wit te vergeten. Gouden en zilveren oplegsels en kanten franjes illustreren hoe verfijnd een groot deel van zijn voorraad was. Hij bezat ook de stoffen en accessoires die nodig waren om dergelijke kledingstukken te maken.[39]

De items die vermoedelijk niet te koop waren – zijn woningmeubilair – worden met dezelfde aandacht voor materialen opgesomd: notenhouten stoelen en tafels, met ivoor versierde ebbenhouten kabinetten, een dennenhouten ladekast.[40] Zijn wandtapijt met de voorstelling van Mozes en de Tien Geboden was gemaakt van zijde, goud en zilver. Zijn afbeeldingen

(1575–1632), and two to Rubens: one a hunting scene of lions and another of leopards.[44]

Given Rubens's popularity at the Spanish court and across Europe, it is not surprising that by the spring of 1628, Van Vucht already owned two paintings by him. Later that year, Rubens would arrive in Madrid for an extended diplomatic visit, and it seems likely that Van Vucht met him during his stay. An important figure in connecting the merchant with the artist and in subsequently facilitating the commission of *The Martyrdom of St. Andrew* was Balthasar Moretus (1574–1641) (FIG. 15), scion of Antwerp's Plantin publishing house. Rubens and Moretus were childhood friends, having studied together at Antwerp's Latin School in the late 1580s. They would later work as colleagues when Rubens produced the designs for the title-pages of Plantin books. Moretus also owned a number of paintings by Rubens.[45]

As Moretus's Madrid representative, Van Vucht maintained close contact with him. The Plantin firm had major business interests in Spain, serving as the principal publisher of liturgical volumes distributed there and across Spanish-controlled territories throughout the seventeenth century.[46] Moretus channeled his shipments to Madrid through Van Vucht; these were principally books but also on occasion other goods, including paintings.[47] During the 1620s and 1630s, Moretus and Van Vucht corresponded frequently; only Moretus's letters survive. The letters detail their business dealings but also contain regular exchanges of news and references to a shared network of acquaintances.[48] Although not explicitly stated, the correspondence suggests that Moretus must have encouraged Rubens to meet with Van Vucht during the artist's 1628–29 trip to Madrid, since letters from 1629 and 1630 include Moretus's repeated promises that he would convey

van Maria (recto) en de heilige Franciscus (verso), in zwart en wit email, rustten op een gemeenschappelijk gouden drager. Een ander, kleurrijker stuk emailwerk, met een voorstelling van de heilige Jacobus, was met vijf kleine diamanten bezet. Van Vucht bezat ook twee kruisbeelden gemaakt van ebbenhout en ivoor.[41]

De nauwkeurigheid waarmee de materialen in de inventaris worden beschreven, geldt ook voor Van Vuchts 67 schilderijen op doek, paneel en koper, soms met vermelding van de gebruikte olieverf. Sommige hadden ebbenhouten lijsten, andere vergulde.[42] Ook het onderwerp van elk schilderij wordt precies beschreven. Hoewel 21 schilderijen nieuwtestamentische taferelen voorstelden, naast zes schilderijen van de Schepping en nog eens twee oudtestamentische taferelen, behandelden de meeste van Van Vuchts schilderijen wereldser onderwerpen, gaande van landschappen en een stormachtig zeegezicht tot stillevens van fruit en bloemen, van voorstellingen van de seizoenen en de maanden tot verhalen uit de klassieke mythologie en geschiedenis.[43] In de inventaris worden slechts vier schilderijen aan specifieke schilders toegeschreven: twee mythologische schilderijen aan "ban bal", misschien Hendrick van Balen (1575–1632), en twee aan Rubens: een jachttafereel met leeuwen en een ander met luipaarden.[44]

Gezien Rubens' populariteit aan het Spaanse hof en in heel Europa, hoeft het niet te verwonderen dat Van Vucht tegen het voorjaar van 1628 al twee van diens schilderijen in zijn bezit had. Later dat jaar arriveerde Rubens in Madrid voor een langdurig diplomatiek bezoek, en waarschijnlijk zag Van Vucht hem daar tijdens zijn verblijf. Een figuur die een belangrijke rol speelde in de ontmoeting tussen de koopman en de kunstenaar en in de totstandkoming van de opdracht voor *De marteldood van de heilige Andreas*, was Balthasar Moretus (1574–1641) (AFB. 15), een telg van de Antwerpse uitgeverij Plantin. Rubens

FIG. 15
Cornelis Galle II after Erasmus Quellinus II, *Portrait of Balthasar Moretus I*, c. 1635–78, engraving, 26.4 x 17.1 cm, Antwerp, Museum Plantin-Moretus/Prentenkabinet

AFB. 15
Cornelis Galle II naar Erasmus Quellinus II, *Portret van Balthasar Moretus I*, ca. 1635–78, gravure, 26,4 x 17,1 cm, Antwerpen, Museum Plantin-Moretus/Prentenkabinet

BALTHASAR MORETVS ANTVERPIENSIS,
TYPOGRAPHVS REGIVS CELEBERRIMVS,
CHRISTOPHORI PLANTINI EX FILIA NEPOS,
IOANNIS MORETI FILIVS,
Vixit annos LXVII. Deuixit VIII. Iulij. M. DC. XLI.
E. Quellinius delin.
Corn. Galle iunior sculpsit.

Van Vucht's greetings to the artist as soon as the peripatetic Rubens was back in Antwerp.[49]

Van Vucht's interest in commissioning a work from Rubens first appears in the correspondence in June of 1630, almost a decade before the *St. Andrew* would ultimately be painted. Van Vucht had evidently inquired about Rubens's prices, perhaps hoping Moretus might be able to persuade Rubens to offer Van Vucht a better price. Moretus reported to Van Vucht that for the amount Van Vucht was initially willing to pay, 100 *pattacons*, he could not possibly acquire one of the three subjects that he had mentioned, all of which would be at least 200 *pattacons*. What these subjects were, however, Moretus did not say. For the proffered 100 *pattacons*, Rubens had offered to paint something simpler with just two or three figures, such as a "Diana with two nymphs." Moretus conveyed a slightly better offer from the artist in the fall of 1630: three or four figures for 100 *pattacons*.[50] Given the altogether different tenor of the ultimate commission from the sort of lighthearted mythological vignette invoked in the letter, one can only surmise that by the time the commission was finally settled upon, Van Vucht had agreed to far exceed his initial budget. While Moretus and Van Vucht remained in contact throughout the 1630s, no further references to the commission have surfaced in their correspondence, and it was presumably not until 1638 or 1639 that Van Vucht finally placed his order.[51]

Van Vucht's will of April 24, 1639 includes his bequests to the *Hospital de San Andrés*. Reflecting his financial success, he endowed a bed for sick Flemings at the hospital and forgave several debts the hospital owed to him for money loaned.[52] His bequest of the altarpiece recalls this merchant's sensitivity to materials and his great appreciation for excellent quality art and artisanship. He expressly invoked Rubens's fame and his own role in bringing the painting from Flanders to Spain.

He further noted in his testament that the painting still needed to be framed, which was

en Moretus waren jeugdvrienden en hadden in de late jaren 1580 samen aan de Antwerpse Latijnse School gestudeerd. Nadien werkten ze ook samen toen Rubens de ontwerpen maakte voor de titelpagina's van boeken die Plantin uitgaf. Moretus bezat ook een aantal schilderijen van Rubens.[45]

Als Moretus' vertegenwoordiger in Madrid stond Van Vucht in nauw contact met Rubens. Plantin had grote zakenbelangen in Spanje, als voornaamste uitgever van de liturgische werken die gedurende de hele 17e eeuw in Spanje en de door Spanje bestuurde gebieden werden verspreid.[46] Het was via Van Vucht dat Moretus zijn zendingen naar Madrid stuurde, hoofdzakelijk boeken maar ook andere koopwaar, waaronder schilderijen.[47] Tijdens de jaren 1620 en 1630 schreven Moretus en Van Vucht regelmatig brieven aan elkaar, waarvan enkel die van Moretus zijn bewaard. Deze brieven handelen over hun zakelijke transacties maar bevatten vaak ook nieuws en verwijzingen naar een gemeenschappelijk netwerk van kennissen.[48] Hoewel dit niet expliciet wordt vermeld, kan uit de briefwisseling worden afgeleid dat Moretus Rubens moet hebben aangemoedigd Van Vucht te ontmoeten tijdens het verblijf van de kunstenaar in Madrid in 1628–29: in brieven uit 1629 en 1630 belooft Moretus herhaaldelijk dat hij de groeten van Van Vucht aan de kunstenaar zou overbrengen zodra de rondreizende Rubens terug in Antwerpen was.[49]

Van Vuchts idee om een werk bij Rubens te bestellen, duikt voor het eerst op in de briefwisseling van juni 1630, bijna een decennium voordat de *Heilige Andreas* uiteindelijk werd uitgevoerd. Van Vucht had uiteraard geïnformeerd naar de prijzen van Rubens, misschien hopende dat Moretus Rubens zou kunnen overhalen een zacht prijsje voor Van Vucht te maken. Moretus schreef aan Van Vucht dat hij voor het bedrag dat die laatste oorspronkelijk wou betalen, 100 *pattacons*, onmogelijk een van de drie voorgestelde onderwerpen kon kopen, want die zouden elk minstens 200 *pattacons* kosten. Moretus vermeldt echter niet wat deze onderwerpen waren.

logical, since transporting the painting unframed and rolled up would have been much easier and rendered it less susceptible to damage.[53] He indicated the names of two men who would produce the frame: "abraan lers" and "Ju° beymar." Abraham Leerse's name crops up in a few disparate places within historical scholarship, but no one has ever tried to reconstruct the biography of this shadowy figure. Beymar – variously listed as Juliaan, Julian, and Julien Beymar in the literature on the painting – is not mentioned in any documents except the testament.[54] We can now limn a much fuller picture of Leerse than has previously been done. While no one has yet attempted to identify Beymar, a strong case will be made here for associating him with the Flemish immigrant ebonist at court, Jan Wymberg. Both Leerse and Wymberg can be situated within a closely-bound web of Flemings at the Spanish court.

V. THE FRAMEMAKERS

The passage regarding the donation of the painting, which gives instructions regarding its frame, reads thus:

Mando se entregue al dho ospital el quadro del martirio del glorioso San andres que e hecho traer de ſlandes y es pintura de la mano del ſamoso maestro P° Pablo Rubens y al dho quadro se le heche un marco como lo pide el mismo quadro de la mejor escultura que se pudiere á election de abraan lers y Ju° beymar ebanista criados de su mag^d^. Y ansi mismo se hagan sus columas y rremates y lo demas que fuere nezes° á la mysma election de los susodhos y lo qual a de ser en el altar mayor del dho ospital y lo que todo esto costare se a de pagar de lo que ansi debo á las dhas limosnas de mi dispusizion asi de los dhos corretajes como del dho quarto por ziento y se a de baxar dello.[55]

Voor de som van 100 *pattacons* wou Rubens wel iets eenvoudigers schilderen, met slechts twee of drie figuren, zoals een "Diana met twee nymphen." In het najaar van 1630 maakte Moretus een wat aantrekkelijker voorstel van de kunstenaar aan Van Vucht over: drie of vier figuren voor 100 *pattacons*.[50] Gezien de totaal andere teneur van de uiteindelijke opdracht vergeleken met het soort lichtvoetige mythologische thema waarover de brief het had, kunnen we geredelijk aannemen dat Van Vucht bereid was zijn oorspronkelijke budget ruimschoots te overschrijden tegen de tijd dat de opdracht definitief werd geregeld. Gedurende de jaren 1630 bleven Moretus en Van Vucht contact met elkaar onderhouden, maar hun briefwisseling uit die periode bevat geen verdere verwijzingen naar de opdracht. Het was vermoedelijk pas in 1638 of 1639 dat Van Vucht zijn bestelling eindelijk plaatste.[51]

Van Vuchts testament van 24 april 1639 vermeldt zijn legaten aan het *Hospital de San Andrés*. Gebruikmakend van zijn financiële succes schonk hij het hospitaal een bed voor zieke Vlamingen en schold hij het diverse schulden aan hem kwijt.[52] Het legaat van het altaarstuk herinnert aan de liefde voor materialen van deze koopman en zijn grote waardering voor kunst en ambacht van hoge kwaliteit. Hij vermeldt uitdrukkelijk de faam van Rubens, naast de rol die hijzelf speelde in het naar Spanje overbrengen van het schilderij uit Vlaanderen.

Zijn testament vermeldt tevens dat het schilderij nog moest worden ingelijst. Dat was ook logisch, want het was veel makkelijker het schilderij opgerold te transporteren, dus zonder lijst, en het maakte het ook minder gevoelig voor schade.[53] Van Vucht geeft de namen op van twee personen die de lijst zouden vervaardigen: "abraan lers" en "Ju° beymar." De naam Abraham Leerse duikt al her en der op binnen het historisch onderzoek, maar niemand heeft ooit geprobeerd de biografie van deze schimmige figuur te reconstrueren. Beymar – nu eens Juliaan of Julian en dan weer Julien Beymar genoemd in de literatuur rond het schilderij –

I bequeath to the said hospital the picture of the martyrdom of the glorious St. Andrew, which I have had brought from Flanders and which is a painting from the hand of the famous master, Peter Paul Rubens, and [I order that] for the said painting there be made a frame such as this same picture deserves, of the best sculpture attainable according to the judgment of Abraan Lers and Ju° Beymar, ebonist, servants of his majesty. And in the same way should be made its columns and tops and the rest deemed to be necessary, again according to the judgment of the aforementioned [Leerse and Beymar], and it should be placed on the high altar of the said hospital and what all of this shall cost is to be paid from provisions – like that which I owe to the aforementioned charities – in the same way from the said brokerages as from the said twenty-five percent, and this should be subtracted from it.[56]

Parish registers confirm Abraham Leerse's baptism, on March 9, 1593, in Antwerp Cathedral.[57] His parents were Absolon Leerse and Maria Gÿsbrechts,[58] and he was one of six children.[59] The records of the Antwerp Guild of St. Luke report that Abraham served as an apprentice in 1610 to the landscape painter Jan Wildens (1585/86–1653).[60] Wildens was both a collaborator and close friend of Rubens. Rubens was a witness at Wildens's wedding in 1619, and probably a few years earlier, he had painted a dynamic, informal portrait of Wildens, seemingly in motion. He seems to have given the portrait to his friend, since it was listed in Wildens's son's estate in 1653.[61] Wildens was also portrayed by Rubens's best pupil, Anthony van Dyck (1599–1641) (FIG. 16). Abraham's nephew, Philips Leerse, the son of Abraham's brother Sebastiaen, would also study with Wildens, in 1628–29.[62]

Although Abraham Leerse had trained in Antwerp as a painter, in Madrid his vocation as a painter is not explicitly mentioned. He did not become a master in the Antwerp guild and was in Madrid by at least 1620, the year in which he became an

wordt in geen enkel document vermeld, behalve het testament.[54] We kunnen thans een veel vollediger beeld van Leerse schetsen dan voorheen het geval was. Hoewel nog niet is geprobeerd Beymar te identificeren, zijn er sterke argumenten die hem in verband brengen met de ingeweken Vlaamse ebenist Jan Wymberg. Zowel Leerse als Wymberg maakten deel uit van een hecht web van Vlamingen aan het Spaanse hof.

V. DE LIJSTENMAKERS

De oorspronkelijke passage met betrekking tot de schenking van het schilderij, waarin ook instructies staan voor de uitvoering van de bijbehorende lijst, luidt als volgt:

Mando se entregue al dho ospital el quadro del martirio del glorioso San andres que e hecho traer de flandes y es pintura de la mano del famoso maestro P° Pablo Rubens y al dho quadro se le heche un marco como lo pide el mismo quadro de la mejor escultura que se pudiere á election de abraan lers y Ju° beymar ebanista criados de su mag^{d}. Y ansi mismo se hagan sus columas y rrremates y lo demas que fuere nezes° á la mysma election de los susodhos y lo qual a de ser en el altar mayor del dho ospital y lo que todo esto costare se a de pagar de lo que ansi debo á las dhas limosnas de mi dispuzizion asi de los dhos corretajes como del dho quarto por ziento y se a de baxar dello.[55]

Aan voornoemd hospitaal vermaak ik het schilderij van de marteldood van de glorierijke heilige Andreas dat ik uit Vlaanderen heb laten overbrengen en dat een schilderij is van de hand van de beroemde meester, Peter Paul Rubens, en [ik beveel dat] voor voornoemd schilderij een lijst wordt gemaakt [van zulke kwaliteit] als ditzelfde schilderij

archer in the *Noble Guardia*. He would remain in the guard throughout his life, retiring into the guard's reserve in 1650 and dying in 1659.[63] Guard records help one envision his decades-long presence in the guard on a daily basis. He owed dues to the Confraternity of San Andrés in 1624 and was sick the next year. He received various articles of clothing in 1638 (a cloak, a doublet, stockings, and a sword belt), mourning clothes upon the death of Queen Isabella of Bourbon in 1644, and bread at various times in the 1630s. In 1642, a year in which he is recorded as having a horse provided by the guard, he participated in a royal journey to Aragon.[64]

Service as an archer came with numerous responsibilities and benefits, but chief among its more intangible advantages was the fellowship its community of Low Countries immigrants provided. Moreover, since a substantial number of its members were artists, it also must have served as a sort of professional network. During Leerse's time in the guard, his artist-colleagues included Juan Apelman, Adriaen Bandot (d. 1660), Felipe Diriksen (1590–1679), Isaac Guillermo (d. 1637), Juan van der Hamen y León (1596–1631), Alejandro van Mullen (1620/21–1684), Paulus van Mullen (act. 1590–d. 1640), Herman Panneels (1610–1651), Nicolas van de Pere, and Miguel de Pret (c. 1595–1644).[65] Given that guard members were closely involved with the *Hospital de San Andrés*, it is not surprising to discover that, like Van Vucht, Leerse also made a charitable donation to the hospital.[66]

In addition to his guard work, Leerse seems to have run a business in the 1620s with his fellow archer Guillermo de Lovainas. They imported into Spain, via Bilbao, textiles manufactured in northern Europe and raw materials from the Baltic.[67] One wonders if they might have imported Baltic wood, a popular material for producing panels on which to paint, as well as a material sometimes used in frame construction.[68] Leerse and Lovainas were extremely close, as we learn from two joint testaments they had drawn up, the first in 1624

eist, van het beste mogelijke beeldhouwwerk naar het inzicht van abraan lers en Ju° beymar, ebenist, dienaars van zijne majesteit. En op dezelfde manier moeten de zuilen en afrondingen en het overige wat noodzakelijk wordt geacht, worden gemaakt, opnieuw naar het inzicht van voornoemde [Leerse en Beymar], en het werk moet worden geplaatst op het hoogaltaar van voornoemd hospitaal en alles wat dit zal kosten dient te worden betaald uit provisies – zoals die welke ik aan de voornoemde liefdadigheidsinstellingen verschuldigd ben – op dezelfde wijze uit voornoemde makelaardijen als uit voornoemde vijfentwintig procent, en dit moet ervan worden afgetrokken.[56]

De parochieregisters bevestigen het doopsel van Abraham Leerse op 9 maart 1593 in de Antwerpse Kathedraal.[57] Zijn ouders, Absolon Leerse en Maria Gÿsbrechts,[58] hadden zes kinderen.[59] Uit de archieven van het Antwerpse Sint-Lucasgilde blijkt dat Abraham in 1610 als leerjongen werkte bij landschapsschilder Jan Wildens (1585/86–1653).[60] Wildens was niet alleen een medewerker maar ook een goede vriend van Rubens, die getuige was op Wildens' huwelijk in 1619. Waarschijnlijk had Rubens enkele jaren eerder al een dynamisch, informeel portret van Wildens geschilderd, waarop het lijkt alsof hij beweegt. Kennelijk gaf hij dit portret ten geschenke aan zijn vriend, want in 1653 werd het opgenomen in de boedel van Wildens' zoon.[61] Wildens werd ook geportretteerd door Rubens' beste leerling, Antoon van Dyck (1599–1641) (AFB. 16). Abrahams neef, Philips Leerse, de zoon van Abrahams broer Sebastiaen, ging ook in de leer bij Wildens, in 1628–29.[62]

Hoewel Abraham zijn opleiding als schilder in Antwerpen had genoten, wordt hij in Madrid niet expliciet als schilder vermeld. Hij werd geen meester in het Antwerpse gilde en was zeker al in Madrid in 1620, het jaar waarin hij boogschutter in de *Noble Guardia* werd. Zijn hele leven lang bleef hij lid van de koninklijke lijfwacht; in 1650 werd hij

IOANNES WILDENS
Pictor ruralium prospectuum Antuerpiæ.
Ant van Dyck pinxit
Paul. du Pont. sc.
Mart. vanden Enden excudit Cum priuilegio

and the second in 1630: "at present we are living together in one house, eating at one table as two good friends and compatriots for what has been almost eight years, during which time we have had the company of our business affairs, with the greatest equality, preserving our friendship."[69] The two stated their intention to make a bequest of 25 *ducados* to the *Hospital de San Andrés*.[70]

It is also on the basis of these documents that we can confirm that Abraham was the brother of Sebastiaen Leerse (bapt. 1589–1663).[71] Sebastiaen has long been a subject of interest in art historical circles, since he was portrayed by Van Dyck, but the fact that Sebastiaen and Abraham Leerse were brothers has gone unnoticed in both the Rubens and Van Dyck scholarship. Van Dyck portrayed Sebastiaen alongside his second wife, Barbara van den Bogaerde, and one of his sons from his first marriage, Johannes Baptista (1623–1673), who would later move to Frankfurt am Main and subsequently to Breda (FIG. 17).[72] A copy of Van Dyck's portrait of the Leerse family was commissioned in the eighteenth century by a Leerse family descendant (FIG. 18).[73]

Sebastiaen was a wealthy druggist who became city almoner in 1631.[74] Although no inventory of his collection is known, his strong interest in painting is suggested by the 1691 probate inventory of his grandson (also named Sebastiaen Leerse), which contains references not only to the Van Dyck family portrait but to other works by Van Dyck, Rubens, and many of their contemporaries; at least some of these paintings had likely come from the elder Sebastiaen Leerse's collection.[75] Sebastiaen the elder not only patronized Antwerp artists but also counted at least one among his close friends: the painter Jan Boeckhorst (1604–1668), who would appoint Sebastiaen executor in his 1654 testament, bequeathing him a *Vrouwentronie* (female *tronie* or character sketch) for his trouble.[76]

FIG. 16
Paulus Pontius after Anthony van Dyck, *Ioannes Wildens*, from the series *Icones Principum Viorum*, 1630–45, engraving, 23.5 x 17.6 cm, London, The British Museum

reserveboogschutter en in 1659 overleed hij.[63] Via archieven van de lijfwacht kunnen we ons van dag tot dag een beeld vormen van Abrahams decennialange aanwezigheid in de lijfwacht. In 1624 was hij contributies verschuldigd aan de Broederschap van San Andrés, het jaar daarop was hij ziek. Hij kreeg verscheidene kledingstukken in 1638 (een cape, een wambuis, kousen, een koppel), rouwklederen bij de dood van koningin Isabella van Bourbon in 1644, en brood op verschillende tijdstippen in de jaren 1630. In 1642 gaf de lijfwacht hem een paard, en hij nam ook deel aan een koninklijke reis naar Aragón.[64]

Aan de functie van boogschutter waren talrijke verantwoordelijkheden en voordelen verbonden, maar het belangrijkste niet-materiële voordeel was de kameraadschap geboden door de gemeenschap van immigranten uit de Lage Langen. En doordat veel leden van de lijfwacht kunstenaars waren, ontstond op die manier wellicht ook een soort professioneel netwerk. Tijdens Leerses dienst in de lijfwacht waren zijn collega-kunstenaars onder meer Juan Apelman, Adriaen Bandot (gest. 1660), Felipe Diriksen (1590–1679), Isaac Guillermo (gest. 1637), Juan van der Hamen y León (1596–1631), Alejandro van Mullen (1620/21–1684), Paulus van Mullen (act. 1590 gest. 1640), Herman Panneels (1610–1651), Nicolas van de Pere en Miguel de Pret (ca. 1595–1644).[65] Daar de leden van de lijfwacht nauwe banden hadden met het *Hospital de San Andrés*, hoeft het niet te verbazen dat Leerse, net als Van Vucht, ook een schenking aan het hospitaal blijkt te hebben gedaan.[66]

Naast zijn taak binnen de lijfwacht lijkt Leerse in de jaren 1620 ook een handelszaak te hebben geëxploiteerd samen met zijn collega-boogschutter Guillermo de Lovainas. Via Bilbao voerden ze textiel uit Noord-Europa en grondstoffen uit het Balticum in Spanje in.[67] Importeerden ze misschien

AFB. 16
Paulus Pontius naar Antoon van Dyck, *Ioannes Wildens*, uit de reeks *Icones Principum Viorum*, 1630–45, gravure, 23,5 x 17,6 cm, Londen, The British Museum

Whether Abraham Leerse ever painted in Spain is difficult to say. Perhaps he contented himself with his guard and business pursuits and occasional involvement in artistic matters. In 1642 he was one of the two appraisers – together with the Cambrai-born, Antwerp-trained Jean Duchamps (known in Spain as Juan del Campo) for the collection of Van Vucht's son, Pedro, at the time of his second marriage. While the inventory describes Duchamps as a painter charged with appraising Pedro's paintings, no profession is indicated for "Abran Leres," who "together" with Duchamps would appraise "the paintings and things from the oratory." While the oratory's contents are only vaguely indicated, the collection included works attributed to such Flem-

ook Baltisch hout, een veelgebruikt materiaal voor schilderpanelen en een materiaal waarvan soms ook schilderijlijsten werden gemaakt?[68] Leerse en Lovainas waren bijzonder goed bevriend, zoals blijkt uit twee gezamenlijke testamenten die ze opstelden, het eerste in 1624 en het tweede in 1630: "Momenteel wonen we samen in één huis, we eten nu al bijna acht jaar samen aan één tafel als twee goede vrienden en landgenoten, en al die tijd hebben we ons met onze zaken beziggehouden, op voet van volledige gelijkheid, aldus onze vriendschap in stand houdend."[69] De twee mannen verklaarden dat ze een legaat van 25 *ducados* aan het *Hospital de San Andrés* wensten te schenken.[70]

FIG. 17
Anthony van Dyck, *Sebastiaen Leerse with his Second Wife, Barbara van den Bogaerde, and his Son, Johannes Baptista*, c. 1631–32, oil on canvas, 112 x 164 cm, Kassel, Gemäldegalerie Alte Meister

AFB. 17
Antoon van Dyck, *Sebastiaen Leerse met zijn tweede vrouw, Barbara van den Bogaerde, en zijn zoon, Johannes Baptista*, ca. 1631–32, olieverf op doek, 112 x 164 cm, Kassel, Gemäldegalerie Alte Meister

ish artists as Jacques/Jacob Jordaens (1593–1678) and "Gerardo," possibly Gerard Seghers (1591–1651), and many of the paintings' black, ebony, and gilded frames were mentioned.[77]

Until now the identity of the second frame-maker had remained as mysterious as that of the first, if not more so. The testament makes clear that the men entrusted with orchestrating production of the frame – which itself should be an exemplary work of sculpture – were both servants of the king, but only the latter was described as an ebonist. Thus, it seems possible that Leerse may have been acting in a more supervisory role, perhaps making large decisions about the frame's design in relation to Rubens's painting and assembling the various

Het is ook op basis van deze documenten dat we kunnen bevestigen dat Abraham de broer was van Sebastiaen Leerse (gedoopt 1589–1663).[71] Sebastiaen is al langere tijd bekend in kunsthistorische kringen dankzij het portret dat Van Dyck van hem maakte, maar het feit dat Sebastiaen en Abraham Leerse broers waren, is onopgemerkt gebleven in het wetenschappelijke onderzoek naar zowel Rubens als Van Dyck. Van Dyck beeldt Sebastiaen af naast zijn tweede vrouw, Barbara van den Bogaerde, en een van zijn zonen uit zijn eerste huwelijk, Johannes Baptista (1623–1673), die later naar Frankfurt am Main verhuisde, en nog later naar Breda (AFB. 17).[72] In de 18e eeuw bestelde een nazaat van de familie een kopie van Van Dycks portret (AFB. 18).[73]

FIG. 18
After Anthony van Dyck, *Sebastiaen Leerse with his Second Wife, Barbara van den Bogaerde, and his Son, Johannes Baptista*, c. 1699–1740, oil on canvas, 111.7 x 165.1 cm, Frankfurt am Main, Städel Museum

AFB. 18
Naar Antoon van Dyck, *Sebastiaen Leerse met zijn tweede vrouw, Barbara van den Bogaerde, en zijn zoon, Johannes Baptista*, ca. 1699–1740, olieverf op doek, 111,7 x 165,1 cm, Frankfurt am Main, Städel Museum

specialists needed to construct and decorate an appropriate frame. "Beymar," the ebonist, was presumably in charge of carving and assembling the wood. A compelling case can be made that Juan Beymar was in fact Jan Wymberg, whose surname saw a tremendous variety of iterations in Spanish documents, from Bimber, Bimberg, Binuel, and Benuel[78] to Wimborg, Wynberch, and Wynbergh.[79] At the time Van Vucht drafted his testament with directions for framing Rubens's *St. Andrew*, Wymberg was not only Leerse's fellow archer and serving as royal ebonist – as alluded to in the will – but also deeply enmeshed in the same circles in which Leerse traveled, with close connections to various noblemen interested in Flemish art.

In a guard list dating from 1662, Wymberg's place of origin appears as Nijmegen in Gelderland.[80] He seems to have entered Spanish service by 1618, serving aboard a royal ship, before becoming official ebonist to two members of the Spanish royal family: Prince Emmanuel Filibert (1588–1624), Philip III's nephew, and the Infante Don Carlos (1605–1632), Philip IV's brother. He then worked as court ebonist in Madrid, where he replaced the ebonist, Gaspar Camp, and expected to succeed another, Gregorio Navarro, as stipulated in a court order made in August of 1630. Yet the position did not become available as soon as was hoped, and it has been suggested that it was in order for the court to find full employment for Wymberg that he was made an archer in the *Noble Guardia* in 1631. In January of 1639 he became official ebonist to the queen, Isabella of Bourbon. Seven years later, he was finally able to assume Navarro's post as *ebanista de cámara*, producing a range of furnishings as well as frames for paintings and mirrors, including ebony frames for the mirrors in the Salón Grande of Madrid's royal palace.[81]

As fellow archers, Wymberg and Leerse are listed together at various guard events, such as the celebrations for the *Día de la Purificación de Nuestra Señora* in 1638.[82] Along with Leerse, Wymberg made the 1642 royal journey to Aragon.[83] Wym-

Sebastiaen, een welgesteld drogist, werd in 1631 stadsaalmoezenier.[74] Hoewel geen inventaris van zijn collectie bekend is, kunnen we zijn grote belangstelling voor de schilderkunst afleiden uit de boedelinventaris uit 1691 van zijn kleinzoon (die ook Sebastiaen Leerse heette); daarin wordt niet alleen naar Van Dycks familieportret verwezen maar ook naar andere werken van Van Dyck, Rubens en veel van hun tijdgenoten. Ten minste enkele van deze schilderijen kwamen wellicht uit de collectie van Sebastiaen Leerse de oude.[75] Die laatste was niet alleen mecenas van Antwerpse kunstenaars, een ervan behoorde ook tot zijn beste vrienden: de schilder Jan Boeckhorst (1604–1668), die Sebastiaen aanduidde als executeur-testamentair in zijn testament uit 1654 en hem als dank een *Vrouwentronie* (een karakterschets) schonk.[76]

Of Abraham Leerse ooit in Spanje schilderde, valt moeilijk uit te maken. Misschien had hij genoeg aan zijn functie in de lijfwacht, aan zijn zaken en aan de artistieke aangelegenheden waarbij hij occasioneel betrokken was? In 1642 was hij een van de twee taxateurs – samen met de in Kamerijk geboren en in Antwerpen opgeleide Jean Duchamps (die in Spanje bekendstond als Juan del Campo) – van de collectie van Van Vuchts zoon, Pedro, toen die voor de tweede keer huwde. De inventaris omschrijft Duchamps als een schilder belast met het taxeren van Pedro's schilderijen, maar voor "Abran Leres," die "samen" met Duchamps "de schilderijen en zaken uit het oratorium" zou schatten, werd geen beroep opgegeven. Terwijl de werken uit het oratorium slechts vaag worden omschreven, omvatte de kunstcollectie diverse schilderijen die werden toegeschreven aan Vlaamse kunstenaars als Jacques/Jacob Jordaens (1593–1678) en "Gerardo", misschien Gerard Seghers (1591–1651); ook worden veel van de zwarte, ebbenhouten en vergulde lijsten van de schilderijen vermeld.[77]

Tot voor kort was de identiteit van de tweede lijstenmaker een nog even groot mysterie als die van de eerste, of zelfs nog groter. Het testament

berg remained royal ebonist and an archer for the rest of his life, becoming a reserve archer in 1659, perhaps assuming his colleague Leerse's reserve position upon the latter's death that year. Wymberg died in 1672.[84] The strongest evidence that the two men had a close personal friendship, beyond their professional ties, comes from Leerse's 1630 testament, in which he named two individuals, both identified as Flemish, as his executors: the first was "Joan ban bur," seemingly yet another hispanized spelling of Jan Wymberg.[85]

Wymberg's career and close connections with various noblemen in Madrid have been reconstructed by José Juan Pérez Preciado, who determined that Wymberg likely acted as a paintings dealer alongside his work as an ebonist and an archer.[86] Sometime between 1642 and 1652, he sold two still lifes of fish by the Flemish painter Alexander Adrianssen (1587–1661) to Diego Mesía y Guzmán, first Marquis of Leganés, who subsequently gave the paintings to Philip IV as a present; the paintings are now in the Prado.[87] While no other specific painting sales are thus far known, Wymberg was almost certainly identical with the Juan Binter listed as the buyer of more than 30 paintings at the Madrid estate sale of Philippe Charles de Arenberg, the sixteenth Duke of Aarschot in 1641. Three years before Wymberg's death, he had an inventory of his possessions drawn up, which included 80 paintings, unfortunately none attributed.[88] His will mentions sums he was owed by various noblemen, several of whom are known to have had large painting collections.[89] He had also worked for some of them, for example making various pieces of furniture for the Duke of Aarschot and appraising the ebony in his estate after his death.[90]

Wymberg's numerous court and noble connections, his status as an archer, his expertise in painting, and indeed his reputation as a talented royal ebonist, rendered him, like Leerse, ideally suited to the task of producing the frame for Rubens's *St. Andrew*. While he had experienced a brush with

maakt duidelijk dat de mannen die de productie van de lijst moesten organiseren – een lijst die zelf een eersterangs beeldhouwwerk moest worden – allebei dienaars van de koning waren. Enkel de tweede werd echter als ebenist omschreven. Misschien speelde Leerse dus eerder een toezichthoudende rol, trof hij de algemene beslissingen inzake het ontwerp van de lijst voor Rubens' schilderij en bracht hij de specialisten bijeen die nodig waren om een passende lijst te monteren en te versieren. "Beymar", de ebenist, was vermoedelijk belast met het snijden en monteren van het hout. Er zijn doorslaggevende argumenten om te staven dat Juan Beymar in feite Jan Wymberg was, wiens familienaam op talloze manieren werd gespeld in Spaanse documenten, gaande van Bimber, Bimberg, Binuel en Benuel[78] tot Wimborg, Wynberch en Wynbergh.[79] Toen Van Vucht zijn testament met daarin de richtlijnen voor de lijst van Rubens' *Heilige Andreas* opstelde, was Wymberg niet alleen een collega-boogschutter van Leerse én koninklijk ebenist – zoals het testament laat verstaan – maar was hij ook goed ingeburgerd in de kringen waarin Leerse zich bewoog en die nauwe banden hadden met edellieden die in Vlaamse kunst waren geïnteresseerd.

In een lijst van de lijfwacht uit 1662 wordt Nijmegen (Gelderland) vermeld als Wymbergs plaats van afkomst.[80] Hij lijkt tegen 1618 in Spaanse dienst te zijn getreden, eerst aan boord van een koninklijk schip, nadien als officieel ebenist bij twee leden van de Spaanse koninklijke familie: prins Emmanuel Filibert (1588–1624), de neef van Filips III, en de infant Don Carlos (1605–1632), de broer van Filips IV. Dan werkte hij als ebenist aan het hof in Madrid, waar hij een collega verving, Gaspar Camp, en hoopte er een andere te kunnen opvolgen, Gregorio Navarro, zoals bepaald in een besluit dat het hof in augustus 1630 uitvaardigde. Toch raakte die functie minder snel vacant dan hij had gehoopt, en er is aangevoerd dat Wymberg in 1631 door het hof tot boogschutter bij de *Noble Guardia* werd aangesteld opdat hij

voltijds aan de slag zou kunnen blijven. In januari 1639 werd hij de officiële ebenist van de koningin, Isabella van Bourbon, en zeven jaar later kon hij eindelijk Navarro's functie van *ebanista de cámara* overnemen. Hij produceerde een reeks meubelen en lijsten voor schilderijen en spiegels, waaronder ebbenhouten lijsten voor de spiegels van de Salón Grande van het koninklijk paleis van Madrid.[81]

Op diverse feestelijkheden van de lijfwacht blijken Wymberg en Leerse samen als boogschutters aanwezig te zijn geweest, zoals op de viering van de *Día de la Purificación de Nuestra Señora* in 1638.[82] Samen met Leerse maakte Wymberg in 1642 ook de koninklijke reis naar Aragón.[83] Wymberg bleef tot het einde van zijn leven koninklijk ebenist en boogschutter. In 1659 werd hij reserveboogschutter, misschien ter vervanging van Leerse na diens dood in datzelfde jaar. Wymberg stierf in 1672.[84] Het sterkste bewijs dat de twee mannen vriendschapsbanden onderhielden die veel verder dan het professionele reikten, vinden we in het testament van Leerse uit 1630, waarin hij twee personen, die allebei als Vlaams zijn geïdentificeerd, als executeurs-testamentair aanduidt: de eerste was "Joan ban bur", kennelijk de zoveelste verspaanste spelling van Jan Wymberg.[85]

Wymbergs carrière en zijn nauwe banden met verscheidene edellieden in Madrid zijn gereconstrueerd door José Juan Pérez Preciado, die vaststelde dat Wymberg niet alleen als ebenist en boogschutter maar wellicht ook als schilderijenhandelaar actief was.[86] Ergens tussen 1642 en 1652 verkocht hij twee stillevens met vissen van de Vlaamse schilder Alexander Adrianssen (1587–1661) aan Diego Mesía y Guzmán, eerste markies van Leganés, die de schilderijen aan Filips IV schonk; ze bevinden zich thans in het Prado.[87] Hoewel tot heden geen andere verkopen van specifieke schilderijen bekend zijn, was Wymberg bijna zeker de Juan Binter die vermeld wordt als de koper van meer dan 30 schilderijen tijdens de boedelverkoop in Madrid van Philippe Charles de Aren-

the law in 1626 when he and his fellow archer, the Mortsel-born engraver Herman Panneels, landed in the guard's prison for possessing personal pistols in addition to their guard-issued arms,[91] this does not seem to have damaged his professional prospects.

Later in his life, Wymberg was also active in the Confraternity of St. Joseph – associated with woodworkers – serving as its treasurer and as one of its examiners and helping in 1659 to spearhead the confraternity's commission of a new altarpiece, orchestrated by the architect Sebastián de Benavente (1619–1689), for the confraternity's chapel in the Colegio de Santo Tomás Aquino.[92] His close involvement in this organization is a reminder of how Flemish immigrants in Madrid might remain bound to their Flemish origins and communities while at once fully integrating into Madrid's "Spanish" social fabric.

VI. THE FRAME

Although both men charged with overseeing production of the frame[93] were from the Low Countries, the form of the frame is quite different from the more sober style of frame that Spaniards associated with the region: frames made of ebony or another dark wood, sometimes with controlled decorations in tortoise shell, silver or hard stones.[94] Instead, it is fully in keeping with its Madrid context in its lively, volumetric, and stylized natural forms. It has the common *cassetta* or architrave form (a decorative frieze with moldings on either side) that had come to encase works hung at European courts and in collectors' homes but also, of course, in ecclesiastical settings.[95] Numerous seventeenth-century Spanish frames survive that display similarly animated decorations at their corners and centers.[96]

Here, the wooden frame is painted black with gold stucco decorations (FIG. 19),[97] which were gilt using the *guazzo* gilding process.[98] In this pro-

berg, zestiende hertog van Aarschot, in 1641. De boedelinventaris die Wymberg drie jaar voor zijn overlijden liet opmaken, bevatte 80 schilderijen, waarvan er helaas geen enkel is toegeschreven.[88] Zijn testament vermeldt ook de bedragen die hem verschuldigd waren door verscheidene edellieden, waarvan bekend is dat sommige grote schilderijenverzamelingen hadden.[89] Wymberg werkte ook voor een aantal onder hen – zo vervaardigde hij diverse meubelstukken voor de hertog van Aarschot en taxeerde hij de ebbenhouten goederen in zijn boedel na diens dood.[90]

Wymbergs talrijke connecties aan het hof en onder de adel, zijn status als boogschutter, zijn schilderkunstige expertise en vooral zijn reputatie als getalenteerd koninklijk ebenist maakten hem, net als Leerse, de persoon bij uitstek om de opdracht voor de lijst van Rubens' *Heilige Andreas* tot een goed einde te brengen. Hoewel Wimberg in 1626 in aanraking kwam met het gerecht, toen hij en een collega-boogschutter, de in Mortsel geboren graveur Herman Panneels, in de gevangenis van de lijfwacht belandden omdat ze persoonlijke pistolen bezaten naast de wapens die ze van de lijfwacht kregen,[91] lijkt dit zijn professionele vooruitzichten niet te hebben geschaad.

Later was Wymberg ook nog actief in de broederschap van de heilige Jozef, die met de houtbewerkers werd geassocieerd, als thesaurier en als een van hun inspecteurs. In 1659 was hij een van de initiatiefnemers voor de opdracht die die broederschap gaf voor de productie van een nieuw altaarstuk, onder leiding van architect Sebastián de Benavente (1619–1689), dat bestemd was voor de kapel van de broederschap in het Colegio de Santo Tomás Aquino.[92] Zijn nauwe betrokkenheid bij deze organisatie illustreert nogmaals hoe sterk de Vlaamse immigranten in Madrid gehecht bleven aan hun Vlaamse roots en gemeenschappen, terwijl ze terzelfder tijd volwaardig deel uitmaakten van het "Spaanse" sociale weefsel in Madrid.

cess, several coats of gesso are applied, smoothed, carved, and painted again with coats of red bole (a finer kind of gesso), before the gold leaf is finally applied.[99] The ornamentation would likely have been carved separately and applied to the beams,[100] though some elements might have been created in a mold and then affixed to the frame, gessoed, and gilded.[101] The gilded areas of the frame serve not only to distinguish and adorn the enclosed image, but also to encircle it with reflected light. Such an effect would have been particularly visible at night, in the presence of candles.[102]

Between the scrolled foliage in the corners and centers appear rosettes, and all of these elaborate organic forms are enclosed in two bands: at the inner edge a band with the bar-and-triple-bead pattern, and at the outer edge a gentle curving pattern. The natural forms are deeply carved, their recesses creating dark shadows that contrast with the shimmering, curving forms that catch the light. Thick, curling acanthus leaves morph into scrolls in grotesques that seem to vibrate as deeply as the violently pulsing figures hoisting St. Andrew's cross. The practice of applying foliage in right angles at a frame's corners – as opposed to continuously across the frame's surface – was common, but here, these decorations seem to echo the angular forms of the cross and St. Andrew's splayed limbs.[103] The heavenly glow around his head and the burst of light that appears to radiate from his body and up the right arm of the cross seems almost to cross the fictive boundary of the picture plane, culminating in the golden foliage at the center of the frame's upper edge (FIG. 20). The active interplay between image and frame heightens the painting's spiritual impact.

The stylized natural forms on this frame held currency across Europe in the sixteenth and seventeenth centuries. Few exclusively ornamental prints were published in seventeenth-century Madrid. Yet the city's engravers, many of them immigrants from Northern Europe, like Leerse and Wymberg, produced numerous prints in the 1630s and 1640s

VI. DE LIJST

Hoewel de twee mannen die de productie van de lijst moesten superviseren[93] uit de Lage Landen afkomstig waren, heeft de vorm van deze lijst weinig gemeen met de soberdere stijl die de Spanjaarden met deze regio associeerden, zoals lijsten gemaakt van ebbenhout of andere donkere houtsoorten, soms met sobere versiersels in schildpad, zilver of hardsteen.[94] Dankzij haar levendige volumetrische en gestileerde natuurlijke vormen past deze lijst perfect in de Madrileense context. Ze heeft de vorm van een *cassetta* of architraaf (een decoratieve fries met lijstwerk aan beide zijden), die toen populair was om de werken aan de Europese hoven en in de woningen van verzamelaars te omlijsten maar die uiteraard ook vaak in een kerkelijke context voorkwam.[95] Veel bewaarde 17e-eeuwse Spaanse schilderijlijsten vertonen soortgelijke levendige versieringen op de hoeken en de middendelen.[96]

In dit geval is de houten lijst zwart geschilderd en versierd met stucwerk (AFB. 19)[97] dat is verguld met de *guazzo*-techniek.[98] Daarbij worden verscheidene lagen gesso aangebracht, gladgestreken, uitgesneden en opnieuw beschilderd met lagen rode bolus (een fijner soort gesso), voordat het bladgoud wordt aangebracht.[99] De decoratie was wellicht apart gesneden en op de latten bevestigd,[100] hoewel sommige elementen misschien in een mal waren gemaakt en dan op de lijst bevestigd, met gesso behandeld en verguld.[101] De vergulde zones van de lijst moesten de afbeelding niet alleen afbakenen en versieren maar er ook het licht op reflecteren, een effect dat wellicht vooral 's avonds het beste tot zijn recht kwam, bij kaarslicht.[102]

Tussen het lofwerk op de hoeken en middenstukken zijn rozetten aangebracht. Al deze doorwrochte organische vormen worden door twee banden afgezoomd, met aan de binnenrand een onderbroken drieling parelrand en aan de buitenrand een licht gebogen patroon. De natuurlijke vormen zijn diep uitgesneden, waardoor hun holten donkere schaduwen scheppen die afsteken tegen de glinsterende gebogen vormen die het licht vangen.

Zware acanthusvoluten gaan over in krulwerk, in grotesken die al even intens lijken te zinderen als de krachtige figuren die het kruis van de heilige Andreas oprichten. De praktijk om lofwerk in rechte hoeken aan te brengen op de hoeken van een lijst – in tegenstelling tot doorlopend over de hele lijst – werd vaak toegepast, maar hier lijken deze decoraties de hoekige vormen van het kruis en de gespreide ledematen van de heilige Andreas te weerspiegelen.[103] Het is alsof de hemelse gloed rond het hoofd van de heilige en het licht dat uit zijn lichaam en langs de rechterarm van het kruis lijkt te stralen, de fictieve grens van het beeldvlak doorbreekt en doorloopt tot in het vergulde lofwerk in het midden van de bovenrand (AFB. 20). Deze actieve wisselwerking tussen het beeld en de lijst versterkt de spirituele impact van het schilderij.

De gestileerde natuurlijke vormen die deze lijst versieren, waren gemeengoed in het zestiende- en zeventiende-eeuwse Europa. Er werden in de zeventiende eeuw weinig uitsluitend ornamentale prenten gepubliceerd in Madrid. Toch produceerden de graveurs van de stad, onder wie veel inwijkelingen uit Noord-Europa zoals Leerse en Wymberg, in de jaren 1630 en 1640 talrijke prenten met als omlijsting krulwerk dat vaak in organische vormen overging.

FIG. 19
Detail of fig. 1, frame

AFB. 19
Detail van afb. 1, lijst

FIG. 20
Detail of fig. 1, frame

AFB. 20
Detail van afb. 1, lijst

that include scrollwork as a framing device, often fusing into organic forms. A range of subject matter, from portraits and title-pages to coats of arms and devotional images, appeared within these decorative frames. Such decorative forms offer two-dimensional analogies to the frame of Rubens's painting, with its combination of volumetric scrolls and acanthus leaves.[104] Similar forms were also popular in prints engraved in the Low Countries,[105] although these forms were rarely as closely translated into three-dimensional picture frames as they were in Spain.

The division of labor between Leerse and Wymberg is difficult to assess. We know that Wymberg was an ebonist, and so perhaps Leerse was responsible either for elements of the design or for painting and gilding the frame, which might seem more in keeping with the training he would have received as an apprentice in the painter Jan Wildens's workshop. Frames were often made by several specialists in collaboration, and so it is possible that others were also involved.[106]

Binnen deze decoratieve omlijstingen werd een waaier van onderwerpen voorgesteld, gaande van portretten en titelpagina's tot wapenschilden en godsdienstige afbeeldingen. Dergelijke decoratieve vormen waren tweedimensionale analogieën met de lijst van Rubens' schilderij en haar combinatie van volumetrisch krulwerk en acanthusbladeren.[104] Soortgelijke vormen waren ook populair op prenten die in de Lage Landen werden gegraveerd,[105] hoewel deze vormen zelden zo nauwgezet in driedimensionale schilderijlijsten werden omgezet als in Spanje het geval was.

Het is moeilijk de taakverdeling tussen Leerse en Wymberg precies vast te stellen. We weten dat Wymberg ebenist was, en dus stond Leerse misschien in voor elementen van het ontwerp of voor het schilderen en vergulden van de lijst; dat lijkt in elk geval beter aan te sluiten bij zijn opleiding als leerling in het atelier van de schilder Jan Wildens. Aan schilderijlijsten werden vaak door verscheidene specialisten samengewerkt, dus het is goed mogelijk dat er ook anderen bij de productie waren betrokken.[106]

VII. CONCLUSION

Attending not only to the visual qualities of Rubens's magnificent *St. Andrew*, but also to the numerous relationships that led to its being thus painted, framed, and installed offers a richer understanding of how such a phenomenal work came into being and what values and functions it held for its initial viewers. It is quite unusual to be able to pair such detailed documentation regarding a frame's commission with an extant frame, and to be able to situate a frame's makers so precisely within a number of overlapping communities – in this case those of the Flemish community in Madrid and of the archers and ebonists active at court.[107] While this professional, social, and familial context can now be traced, one wonders, given the tantalizing directive about the frame's "columas y rremates," in what sort of larger architectural framework the altarpiece might originally have been placed.

Far from a masterpiece created in a void, Rubens's painting engaged the visual traditions of his Antwerp training, developed to his own ends, and enframed by his compatriots, who were ensconced in a different yet closely related cultural milieu. The frame clearly articulates the honor that should be bestowed on the representation of such a martyrdom, while manifesting the glory of the Catholic Church. A call to devotion and emulation of saintly faith, the altarpiece was also a treasured and enduring source of pride for its community in the centuries after it was painted.

VII. CONCLUSIE

Als we niet louter naar de visuele kwaliteiten van Rubens' prachtige *Heilige Andreas* kijken maar ook naar de talrijke connecties die ervoor hebben gezorgd dat het precies op déze manier werd geschilderd, ingelijst en opgesteld, krijgen we een veel beter inzicht in de ontstaansgeschiedenis van dit fenomenale werk en in waarden en functies die het voor de oorspronkelijke toeschouwers vertegenwoordigde. Het is uitzonderlijk dat we een dergelijke gedetailleerde documentatie rond de opdracht voor een schilderijlijst kunnen koppelen aan een nog bestaande lijst, én dat we de makers van een lijst zo precies kunnen plaatsen binnen overlappende gemeenschappen – *in casu* de Vlaamse gemeenschap in Madrid en de gemeenschap van boogschutters en ebenisten aan het hof.[107] In het licht van deze professionele, maatschappelijke en familiale context kunnen we ons afvragen, gezien de intrigerende instructie voor de "columas y rrematés" van de lijst, in welk soort groter architecturaal kader dit altaarstuk oorspronkelijk kon zijn opgesteld.

Rubens' meesterwerk kwam hoegenaamd niet uit het niets tot stand: het paste de beeldende tradities toe uit de opleiding die hij in Antwerpen had genoten, zij het dat hij ze aan zijn eigen doeleinden dienstbaar maakte. Daarenboven werd het werk ingelijst door zijn landgenoten, die in een ander, maar nauw verwant cultureel milieu vertoefden. De lijst weerspiegelt niet alleen het respect dat de voorstelling van een dergelijk thema verdient, ze drukt tegelijk ook de glorie van de Katholieke Kerk uit. Het altaarstuk riep niet alleen op tot devotie en tot navolging van het geloof van de heilige, het bleef ook in de eeuwen nadat het werd geschilderd een dierbare en duurzame bron van trots voor zijn gemeenschap.

Endnotes

1 Bequeathed by Jan van Vucht to the *Hospital de San Andrés de los Flamencos* in 1639, the painting has remained in the possession of this institution (now the Fundación Carlos de Amberes) ever since. It hung in the hospital's church – first on the Calle de San Marcos and then on the Calle de Claudio Coello, where it still hangs – with the exception of two periods in which it was moved for safekeeping, first to the Escorial and the Real Fábrica de Tápices (1848–91) and then to the Museo del Prado (1978–89) ("El Martirio de San Andrés. Pedro Pablo Rubens. Dossier Informativo," 2016, pp. 5–6, unpublished document; my thanks to Elena Alonso of the Fundación Carlos de Amberes, Madrid, for sharing this and several other documents, specified below).

The painting has been included in six exhibitions: Groeningemuseum, Bruges, 1958 (Diego Angulo Íñiguez, et al., *L'art flamand dans les collections espagnoles* [Bruges: La Ville de Bruges, 1958], pp. 128–29 cat. no. 102); Koninklijk Museum voor Schone Kunsten, Antwerp, 1977 (Roger-A. d'Hulst, et al., *P.P. Rubens: Paintings, Oilsketches, Drawings* [Antwerp: Royal Museum of Fine Arts, 1977], pp. 248–49 cat. no. 107); Palacio de Velázquez, Madrid, 1977 (Matías Díaz Padrón, *Pedro Pablo Rubens (1577–1640): Exposición homenaje* [Madrid: Dirección General del Patrimonio Artístico, Archivos y Museos, 1977], pp. 101–2 cat. no. 86); Palais des Beaux-Arts, Brussels, 1985 (Jean-Marie Duvosquel and Ignace Vandevivere, eds., *Splendeurs d'Espagne et les villes belges, 1500–1700*, 2 vols. [Brussels: Crédit Communal, 1985], vol. II, p. 573 cat. no. C73 [Matías Díaz Padrón]); Belgian Pavilion, World Exposition, Seville, 1992; Palais des Beaux-Arts, Lille, 2004 (Arnauld Brejon de Lavergnée, et al., *Rubens* [Paris/Ghent: Réunion des Musées Nationaux/Snoeck Publishers, 2004], pp. 80–81 cat. no. 36 [Hans Vlieghe]).

For the most thorough discussion of the painting, see Hans Vlieghe, *Saints*, Corpus Rubenianum Ludwig Burchard, VIII.1 (Brussels: Arcade, 1972), pp. 87–91 nos. 62, 62a, 62b, pls. 109–12; for a more recent summation of the bibliography, see Hans Vlieghe in Brejon de Lavergnée 2004, p. 80. The bibliography on the painting is extensive, and additional scholarship is referred to where relevant in subsequent endnotes.

2 In early modern Spain – as well as in some other parts of Europe – Flanders was used as a synecdoche, signifying not only the province of Flanders but at times all seventeen Netherlandish provinces. This continued, to a certain extent, even after the Dutch provinces declared their independence. Thus, in keeping with the language of the time, I use Flanders and the Low Countries as somewhat interchangeable terms, and the adjective Flemish to denote a broader group of people and things than merely those deriving from the province of Flanders.

3 Emile Mâle, "Histoire et légende de l'apôtre Sainte-André dans l'art," *Revue des Deux Mondes* 5 (1951): pp. 412–20, esp. 415–16; Joaquín Martínez-Correcher y Gil, "La Orden del Toisón de Oro y la corona de España. Quinientos años de historia," *La Orden del Toisón de Oro y sus soberanos (1430–2011)*, ed. by Fernando Checa Cremades (Madrid: Fundación Carlos de Amberes, 2011), pp. 45–74, esp. 46, and in the same volume Víctor Mínguez, "Un collar ígneo para un vellocino áureo. Iconografía de la Orden del Tóison," pp. 75–96, esp. 81; Elena Reina, *Fundación Carlos de Amberes de Madrid, 1594–1989* (Madrid: Real Diputación San Andrés de los Flamencos, 1989), p. 93; Simon A. Vosters, *Rubens y España: Estudio artístico-literario sobre la estética del Barroco* (Madrid: Cátedra, 1990), p. 182 n. 235.

4 Jeroen Duindam, "El legado borgoñón en la vida cortesana de los Habsburgo Austriacos," *El legado de Borgoña: Fiesta y ceremonia cortesana en la Europa de los Austrias (1454–1648)*, ed. by Krista De Jonge, Bernardo

Eindnoten

1 Het schilderij werd in 1639 door Jan van Vucht vermaakt aan het *Hospital de San Andrés de los Flamencos* en bleef sindsdien in het bezit van deze instelling (thans de Fundación Carlos de Amberes). Het versierde de kerk van het hospitaal – eerst aan de Calle de San Marcos en dan aan de Calle de Claudio Coello, waar het nog steeds hangt – met uitzondering van twee periodes waarin het werd overgebracht voor bewaring, eerst naar het Escorial en de Real Fábrica de Tápices (1848–91), en dan naar het Museo del Prado (1978–89) ("El Martirio de San Andrés. Pedro Pablo Rubens. Dossier Informativo", 2016, p. 5–6, niet-gepubliceerd document; mijn dank aan Elena Alonso van de Fundación Carlos de Amberes, Madrid, voor het delen van dit en verscheidene andere, verderop vermelde documenten).

Het schilderij is op zes tentoonstellingen te zien geweest: Groeningemuseum, Brugge, 1958 (Diego Angulo Íñiguez, et al., *L'art flamand dans les collections espagnoles* [Brugge: La Ville de Bruges, 1958], p. 128–29 cat. nr. 102); Koninklijk Museum voor Schone Kunsten, Antwerpen, 1977 (Roger-A. d'Hulst, et al., *P.P. Rubens: Paintings, Oilsketches, Drawings* [Antwerpen: Royal Museum of Fine Arts, 1977], p. 248–49 cat. nr. 107); Palacio de Velázquez, Madrid, 1977 (Matías Díaz Padrón, *Pedro Pablo Rubens (1577–1640): Exposición homenaje* [Madrid: Dirección General del Patrimonio Artístico, Archivos y Museos, 1977], p. 101–2 cat. nr. 86); Paleis voor Schone Kunsten, Brussel, 1985 (Jean-Marie Duvosquel en Ignace Vandevivere, red., *Splendeurs d'Espagne et les villes belges, 1500–1700*, 2 vol. [Brussel: Crédit Communal, 1985], vol. II, p. 573 cat. nr. C73 [Matías Díaz Padrón]); Belgisch Paviljoen, Wereldtentoonstelling, Sevilla, 1992; Palais des Beaux-Arts, Rijsel, 2004 (Arnauld Brejon de Lavergnée, et al., *Rubens* [Parijs/Gent: Réunion des Musées Nationaux/Snoeck Publishers, 2004], p. 80–81 cat. nr. 36 [Hans Vlieghe]).

Voor de grondigste bespreking van het schilderij, zie Hans Vlieghe, *Saints*, Corpus Rubenianum Ludwig Burchard, VIII.1 (Brussel: Arcade, 1972), p. 87–91 nr. 62, 62a, 62b, pl. 109–12; voor een recentere samenvatting van de bibliografie, zie Hans Vlieghe in Brejon de Lavergnée 2004, p. 80. De bibliografie over het schilderij is bijzonder uitgebreid, en waar relevant wordt in de volgende eindnoten naar bijkomend onderzoek verwezen.

2 In het vroegmoderne Spanje – net als in sommige andere delen van Europa – werd de term "Vlaanderen" als synecdoche gebruikt en verwees hij niet alleen naar de provincie Vlaanderen zelf maar soms ook naar alle zeventien Nederlandse provinciën. Dit duurde tot op zekere hoogte voort zelfs nadat de Nederlandse provinciën hun onafhankelijkheid hadden uitgeroepen. Het taalgebruik uit die tijd navolgend, zal ik "Vlaanderen" en de "Lage Landen" dus als onderling verwisselbare termen gebruiken, en het adjectief "Vlaams" om te verwijzen naar een bredere groep mensen en zaken dan die welke louter met de provincie Vlaanderen verband hielden.

3 Emile Mâle, "Histoire et légende de l'apôtre Sainte-André dans l'art", *Revue des Deux Mondes* 5 (1951): p. 412–20, vooral 415–16; Joaquín Martínez-Correcher y Gil, "La Orden del Toisón de Oro y la corona de España. Quinientos años de historia", *La Orden del Toisón de Oro y sus soberanos (1430–2011)*, Fernando Checa Cremades, red. (Madrid: Fundación Carlos de Amberes, 2011), p. 45–74, vooral 46, en in hetzelfde volume Víctor Mínguez, "Un collar ígneo para un vellocino áureo. Iconografía de la Orden del Tóison", p. 75–96, vooral 81; Elena Reina, *Fundación Carlos de Amberes de Madrid, 1594–1989* (Madrid: Real Diputación San Andrés de los Flamencos, 1989), p. 93; Simon A. Vosters, *Rubens y España: Estudio artístico-literario sobre la estética del Barroco* (Madrid: Cátedra, 1990), p. 182 n. 235.

José García García, and Alicia Esteban Estríngana (Madrid: Fundación Carlos de Amberes, 2010), pp. 35–58, esp. 37.

5 For example, Cádiz's Flemish community had a chapel (in the church of St. Francis), hospital, and confraternity devoted to St. Andrew; see Hipólito Sancho Sopranis, "Las naciones extranjeras en Cádiz durante el siglo XVII," *Estudios de historia social de España* 4–2 (1960): pp. 643–877, esp. 758, 760, 769–77.

6 María Antonia Fernández del Hoyo, "Juan de Roelas, Pintor Flamenco," *Boletín del Museo Nacional de Escultura* 4 (2000): pp. 25–28, esp. 26; Ignacio Cano Rivero and Enrique Valdivieso González, *Juan de Roelas, h. 1570–1625* (Seville: Junta de Andalucía, Consejería de Cultura, 2008), pp. 138–43 cat. no. 15 [Rocío Izquierdo Moreno], and for the predella panels, which are in the Museo de Bellas Artes in Bilbao, pp. 144–49 cat. nos. 16, 17 [Ana Sánchez-Lassa de los Santos]; Mercedes Gamero Rojas, "Flamencos en la Sevilla del siglo XVII: La Capilla de San Andrés," *Comercio y cultura en la Edad Moderna: Actas de la XIII reunión científica de la fundación de Historia Moderna*, ed. by Juan José Iglesias Rodríguez, Rafael M. Pérez García, and Manuel F. Fernández Chaves (Seville: Universidad de Sevilla, 2015), CD-PDF pp. 715–30, esp. 726.

7 Fernández del Hoyo 2000, p. 25.

8 There is no evidence that Roelas ever returned to Flanders. On Van Veen's painting, see Justus Müller Hofstede, "Zum Werke des Otto Van Veen: 1590–1600," *Bulletin Koninklijke Musea voor Schone Kunsten van België* VI.3–4 (1957): pp. 127–74, esp. 142–51; David Freedberg, "The Representation of Martyrdoms during the Early Counter-Reformation in Antwerp," *The Burlington Magazine* 118.876 (March 1976): pp. 128–38, esp. 135, 134, fig. 16; Karel Porteman, "Veen, Otto (Octavio) van, ook V(A)E-NIUS, tekenaar, schilder en schrijver," *Nationaal biografisch woordenboek* (Brussels: Paleis der Academiën, 2011), pp. 1060–87, esp. 1069–70. For earlier Flemish depictions of the subject, including that of Frans Pourbus (1545/46–1581) (1572, Ghent, Sint-Baafskathedral), see Müller Hofstede 1957, p. 148.

9 Müller Hofstede 1957, p. 142. For the archival documents related to this commission, see P. Visschers, *Iets over Jacob Jonghelinck, metaelgieter en penningsnyder, Octavio van Veen, schilder, in de XVIe eeuw, en de gebroeders Collyns de Nole, beeldhouwers, in de XVe, XVIe en XVIIe eeuw* (Antwerp: Janssens, 1853), pp. 15–18.

10 Willibrand Sauerlander, *Der katholische Rubens: Heilige und Märtyrer* (Munich: Beck, 2011), pp. 221–22.

11 Jacobus de Voragine, *The Golden Legend: Readings on the Saints*, trans. by William Granger Ryan (Princeton: Princeton University Press, 1993), pp. 16–18 (ch. 2); see also Vlieghe 1972, p. 87.

12 Vlieghe 1972, pp. 89–91 nos. 62a, 62b, pls. 110–11.

13 Max Rooses, "De schenker der Martelie van den H. Andreas aan het Gasthuis der Vlamingen te Madrid," *Rubens-Bulletijn* V (1897): pp. 121–37, esp. 130–31; Reina 1989, pp. 94, 100; Díaz Padrón 1977, p. 102; Matías Díaz Padrón and Mercedes Orihuela, *Todo el Prado (V): La escuela flamenca del siglo XVII* (Madrid: Alfiz, 1983), p. 33.

14 Alexander Vergara, *Rubens and his Spanish Patrons* (Cambridge/New York: Cambridge University Press, 1999), p. 138. Although a painting of the Martyrdom of St. Andrew (Havana, Museo Nacional de Bellas Artes) by the Toledo painter Luis Tristán (c. 1585/90–1624) presents similarities in the position of the cross, Tristán died too early to have known Rubens's composition; on Tristán's painting and a presumed autograph replica, see *Colección Joaquín Rivero* (Cádiz: Museo de Cádiz, 2005), pp. 36–37.

15 Antonio Palomino de Castro y Velasco, *Lives of the Eminent Spanish*

4 Jeroen Duindam, "El legado borgoñón en la vida cortesana de los Habsburgo Austriacos", *El legado de Borgoña: Fiesta y ceremonia cortesana en la Europa de los Austrias (1454–1648)*, Krista De Jonge, Bernardo José García García en Alicia Esteban Estringana, red. (Madrid: Fundación Carlos de Amberes, 2010), p. 35–58, vooral 37.

5 Zo had de Vlaamse gemeenschap in Cádiz een kapel (in de Sint-Franciscuskerk), een hospitaal en een broederschap toegewijd aan de heilige Andreas; zie Hipólito Sancho Sopranis, "Las naciones extranjeras en Cádiz durante el siglo XVII", *Estudios de historia social de España* 4–2 (1960): p. 643–877, vooral 758, 760, 769–77.

6 María Antonia Fernández del Hoyo, "Juan de Roelas, Pintor Flamenco", *Boletín del Museo Nacional de Escultura* 4 (2000): p. 25–28, vooral 26; Ignacio Cano Rivero en Enrique Valdivieso González, *Juan de Roelas, h. 1570–1625* (Sevilla: Junta de Andalucía, Consejería de Cultura, 2008), p. 138–43 cat. nr. 15 [Rocío Izquierdo Moreno], en voor de predellapanelen, die zich in het Museo de Bellas Artes in Bilbao bevinden, p. 144–49 cat. nr. 16, 17 [Ana Sánchez-Lassa de los Santos]; Mercedes Gamero Rojas, "Flamencos en la Sevilla del siglo XVII: La Capilla de San Andrés", *Comercio y cultura en la Edad Moderna: Actas de la XIII reunión científica de la fundación de Historia Moderna*, Juan José Iglesias Rodríguez, Rafael M. Pérez García en Manuel F. Fernández Chaves, red. (Sevilla: Universidad de Sevilla, 2015), CD-PDF p. 715–30, vooral 726.

7 Fernández del Hoyo 2000, p. 25.

8 Er is geen bewijs dat Roelas ooit naar Vlaanderen terugkeerde. Over Van Veens schilderij, zie Justus Müller Hofstede, "Zum Werke des Otto Van Veen: 1590–1600", *Bulletin Koninklijke Musea voor Schone Kunsten van België* VI.3–4 (1957): p. 127–74, vooral 142–51; David Freedberg, "The Representation of Martyrdoms during the Early Counter-Reformation in Antwerp", *The Burlington Magazine* 118.876 (maart 1976): p. 128–38, vooral 135, 134, afb. 16; Karel Porteman, "Veen, Otto (Octavio) van, ook V(A)E-NIUS, tekenaar, schilder en schrijver", *Nationaal biografisch woordenboek* (Brussel: Paleis der Academiën, 2011), p. 1060–87, vooral 1069–70. Voor vroegere Vlaamse voorstellingen van het onderwerp, onder meer van Frans Pourbus (1545/46–1581) (1572, Gent, Sint-Baafskathedraal), zie Müller Hofstede 1957, p. 148.

9 Müller Hofstede 1957, p. 142. Voor de archiefdocumenten met betrekking tot deze opdracht, zie P. Visschers, *Iets over Jacob Jonghelinck, metaelgieter en penningsnyder, Octavio van Veen, schilder, in de XVIe eeuw, en de gebroeders Collyns de Nole, beeldhouwers, in de XVe, XVIe en XVIIe eeuw* (Antwerpen: Janssens, 1853), p. 15–18.

10 Willibrand Sauerlander, *Der katholische Rubens: Heilige und Märtyrer* (München: Beck, 2011), p. 221–22.

11 Jacobus de Voragine, *The Golden Legend: Readings on the Saints*, vert. William Granger Ryan (Princeton: Princeton University Press, 1993), p. 16–18 (hfdst. 2); zie ook Vlieghe 1972, p. 87.

12 Vlieghe 1972, p. 89–91 nr. 62a, 62b, pl. 110–11.

13 Max Rooses, "De schenker der Martelie van den H. Andreas aan het Gasthuis der Vlamingen te Madrid", *Rubens-Bulletijn* V (1897): p. 121–37, vooral 130–31; Reina 1989, p. 94, 100; Díaz Padrón 1977, p. 102; Matías Díaz Padrón en Mercedes Orihuela, *Todo el Prado (V): La escuela flamenca del siglo XVII* (Madrid: Alfiz, 1983), p. 33.

14 Alexander Vergara, *Rubens and his Spanish Patrons* (Cambridge/New York: Cambridge University Press, 1999), p. 138. Hoewel een schilderij van de marteldood van de heilige Andreas (Havana, Museo Nacional de Bellas Artes) van de schilder uit Toledo Luis Tristán (ca. 1585/90–1624)

Painters and Sculptors, trans. by Nina Mallory (Cambridge/New York: Cambridge University Press, 1987), p. 103 no. 70. Although Rubens is mentioned in the major seventeenth-century Spanish art treatises, his painting of St. Andrew is not: Vicente Carducho mentioned Rubens several times in passing in his 1633 treatise (Vicente Carducho, *Diálogos de la pintura: Su defensa, origen, esencia, definición, modos y diferencias*, ed. by Francisco Calvo Serraller [Madrid: Turner, 1979], pp. 94, 95 n. 253, 435); in his posthumously published treatise of 1649, Francisco Pacheco included a biography of Rubens's life and the latter's second stay in Spain but included no information after 1630 (Francisco Pacheco, *Arte de la pintura*, ed. by Bonaventura Bassegoda i Hugas [Madrid: Cátedra, 1990], pp. 192–202); Lázaro Díaz del Valle, in his manuscript of artists' biographies written in about 1659, included biographies of both Rubens and Otto van Veen but did not mention their depictions of St. Andrew (Lázaro Díaz del Valle, "Memoria de algunos hombres excelentes que a havido en España en las artes del dibujo," manuscript, Madrid, Centro de Ciencias Humanas y Sociales, fols. 108r, 110v; David García López, *Lázaro Díaz del Valle y las vidas de pintores de España* [Madrid: Fundación Universitaria Española, 2008], pp. 252–54, with only the Rubens biography included). I discuss Rubens's reception by seventeenth-century Spanish writers in "Flanders Abroad: The Flemish Artistic Presence in 17th-Century Madrid," Ph.D. diss., Princeton University, 2016, esp. pp. 216–19, with further bibliography.

16 Mary Crawford Volk, *Vicencio Carducho and Seventeenth Century Castilian Painting*, 2 vols. (New York/London: Garland Publishing, Inc., 1977), vol. II, p. 151 no. 10, pl. 23. My thanks to Eduardo Lamas-Delgado for drawing to my attention the work's function in relation to its composition.

17 Nicola Spinosa, *Ribera: La obra completa* (Madrid: Fundación Arte Hispánico, 2008), pp. 359–60 cat. no. A93.

18 Eduardo Lamas-Delgado, "La copia en los talleres cortesanos del siglo XVII en España: Entre educación y repetición," *Las copias de obras maestras de la pintura en las colecciones de los Austrias y el Museo del Prado* (forthcoming Madrid, 2018); my thanks to the author for supplying me with this article prior to its publication. This painting was earlier attributed to Juan Carreño de Miranda (1614–1685) (Pérez Sánchez 1977, pp. 105–8), whose interest in Rubens's painting is attested to by his own *Crucifixion of St. Andrew* of about 1666–70, complete with Rubens's tilted angle of the cross and gesturing figure of Aegeus's wife at lower left; this painting was in the Carmelite convent in Alcalá de Henares until its disappearance during the Spanish Civil War (Alfonso E. Pérez Sánchez, *Juan Carreño de Miranda* [Avilés: Ayuntamiento de Avilés, 1985], p. 145).

19 Alfonso E. Pérez Sánchez, *Carreño, Rizi, Herrera y la pintura madrileña de su tiempo (1650–1700)* (Madrid: Ministerio de Cultura, 1986), p. 244 cat. no. 68, pl. 151; Eduardo Lamas-Delgado, "'Un autre Rubens': L'influence du Rubénisme dans la peinture courtisane espagnole à travers l'exemple de l'oeuvre de Francisco Rizi (1614–1685)," *Belgisch Tijdschrift voor Oudheidkunde en Kunstgeschiedenis* 80.1 (2011): pp. 178–96, esp. 183, 186; Alfonso E. Pérez Sánchez, "Rubens y la pintura barroca española," *Goya: Revista de Arte* 140 (1977): pp. 86–109, esp. 108.

20 Eduardo Lamas-Delgado, "Sebastián Muñoz, Ruiz de la Iglesia y Francisco Rizi: Un nuevo ejemplo de la circulación de modelos en la pintura de la segunda mitad del siglo 17 en Madrid," *Archivo Español de Arte* 86.344 (2013): pp. 356–62; María Teresa Zapata Fernández de la Hoz and Juan Carlos Gómez Aragüete, "Nuevas aportaciones a la obra de Francisco Ignacio Ruiz de la Iglesia (1649–1703)," *Archivo Español de Arte* 85.337 (2012): pp. 17–36, esp. 19.

21 Harold E. Wethey, *Alonso Cano: Painter, Sculptor, Architect* (Princeton: Princeton University Press, 1955), pp. 97, 138 n. 180; Juan José Martín

overeenkomsten vertoont in de positie van het kruis, overleed Tristán te vroeg om de compositie van Rubens te hebben gekend; over het schilderij van Tristán en een vermeende eigenhandig gemaakte replica, zie *Colección Joaquín Rivero* (Cádiz: Museo de Cádiz, 2005), p. 36–37.

15 Antonio Palomino de Castro y Velasco, *Lives of the Eminent Spanish Painters and Sculptors*, vert. Nina Mallory (Cambridge/New York: Cambridge University Press, 1987), p. 103 nr. 70. Hoewel Rubens in de belangrijkste zeventiende-eeuwse Spaanse kunstverhandelingen wordt vermeld, geldt dat niet voor zijn schilderij van de heilige Andreas: Vicente Carducho vermeldt Rubens verscheidene keren terloops in zijn verhandeling uit 1633 (Vicente Carducho, *Diálogos de la pintura: Su defensa, origen, esencia, definición, modos y diferencias*, Francisco Calvo Serraller, red. [Madrid: Turner, 1979], p. 94, 95 n. 253, 435); in zijn postuum uitgebrachte verhandeling van 1649 neemt Francisco Pacheco een biografie van Rubens' leven en zijn tweede verblijf in Spanje op maar verschaft hij geen informatie van na 1630 (Francisco Pacheco, *Arte de la pintura*, Bonaventura Bassegoda i Hugas, red. [Madrid: Cátedra, 1990], p. 192–202); in zijn manuscript van kunstenaarsbiografieën uit ca. 1659 neemt Lázaro Díaz del Valle biografieën op van zowel Rubens als Otto van Veen maar vermeldt hij hun voorstellingen van de heilige Andreas niet (Lázaro Díaz del Valle, "Memoria de algunos hombres excelentes que a havido en España en las artes del dibujo", manuscript, Madrid, Centro de Ciencias Humanas y Sociales, fol. 108r, 110v; David García López, *Lázaro Díaz del Valle y las vidas de pintores de España* [Madrid: Fundación Universitaria Española, 2008], p. 252–54, waarin enkel de biografie van Rubens is opgenomen). Ik bespreek het onthaal van Rubens door zeventiende-eeuwse Spaanse schrijvers in "Flanders Abroad: The Flemish Artistic Presence in 17th-Century Madrid", doctoraatsthesis, Princeton University, 2016, vooral p. 216–19, met bijkomende bibliografie.

16 Mary Crawford Volk, *Vicencio Carducho and Seventeenth Century Castilian Painting*, 2 vol. (New York/Londen: Garland Publishing, Inc., 1977), vol. II, p. 151 nr. 10, pl. 23. Dank aan Eduardo Lamas-Delgado, die mijn aandacht heeft gevestigd op de functie van het werk ten opzichte van zijn compositie.

17 Nicola Spinosa, *Ribera: La obra completa* (Madrid: Fundación Arte Hispánico, 2008), p. 359–60 cat. nr. A93.

18 Eduardo Lamas-Delgado, "La copia en los talleres cortesanos del siglo XVII en España: Entre educación y repetición", *Las copias de obras maestras de la pintura en las colecciones de los Austrias y el Museo del Prado* (te verschijnen Madrid, 2018); mijn dank aan de auteur om mij dit artikel nog voor de publicatie ervan te verschaffen. Dit schilderij werd vroeger toegeschreven aan Juan Carreño de Miranda (1614–1685) (Pérez Sánchez 1977, p. 105–8), wiens belangstelling voor Rubens' schilderij wordt bevestigd door zijn eigen *Kruisiging van de heilige Andreas* uit ca. 1666–70, tot en met Rubens' schuine hoek van het kruis en de gestiek van de vrouw van Aegeus links onderaan; dit schilderij bevond zich in het karmelietenklooster in Alcalá de Henares tot het tijdens de Spaanse Burgeroorlog verdween (Alfonso E. Pérez Sánchez, *Juan Carreño de Miranda* [Avilés: Ayuntamiento de Avilés, 1985], p. 145).

19 Alfonso E. Pérez Sánchez, *Carreño, Rizi, Herrera y la pintura madrileña de su tiempo (1650–1700)* (Madrid: Ministerio de Cultura, 1986), p. 244 cat. nr. 68, pl. 151; Eduardo Lamas-Delgado, "'Un autre Rubens': L'influence du Rubénisme dans la peinture courtisane espagnole à travers l'exemple de l'oeuvre de Francisco Rizi (1614–1685)", *Belgisch Tijdschrift voor Oudheidkunde en Kunstgeschiedenis* 80.1 (2011): p. 178–96, vooral 183, 186; Alfonso E. Pérez Sánchez, "Rubens y la pintura barroca española", *Goya: Revista de Arte* 140 (1977): p. 86–109, vooral 108.

20 Eduardo Lamas-Delgado, "Sebastián Muñoz, Ruiz de la Iglesia y Francisco Rizi: Un nuevo ejemplo de la circulación de modelos en la pintu-

González, "Tipología del retablo madrileño en la época de Velázquez," *Velázquez y el arte de su tiempo: V Jornadas de Arte* (Madrid: Consejo Superior de Investigaciones Científicas, 1991), pp. 321–33, esp. 322; Ángel Rodríguez Rebollo, "A propósito de Alonso Cano: El dibujo para el retablo de San Diego de Alcalá y su homónimo para San Andrés," *In Sapientia Libertas: Escritos en homenaje al profesor Alfonso E. Pérez Sánchez* (Madrid/Seville: Museo Nacional del Prado/Fundación Focus-Abengoa, 2007), pp. 452–58, esp. 453, 457; Zahira Véliz, *Alonso Cano (1601–1667): Dibujos: Catálogo Razonado* (Santander: Fundación Botín, 2009), pp. 444–47; Juan María Cruz Yábar, "La capilla madrileña de San Isidro y sus proyectos previos," *Anales de historia del arte* 25 (2015): pp. 163–87, esp. 168–170, 175, fig. 3.

22 Enrique Valdivieso, *Murillo: Catálogo razonado de pinturas* (Madrid: El Viso, 2010), pp. 202, 204, 509 no. 346; Arturo Galansino with contributions by Katia Pisvin, "Compassion," *Rubens and his Legacy*, ed. by Nico van Hout (London: Royal Academy of Arts, 2014), pp. 178–221, esp. 180–81, 208; Reina 1989, p. 96; Matías Díaz Padrón in Duvosquel/Vandevivere 1985, vol. II, pp. 573–76 cat. no. C74; Johann Georg Prinz von Hohenzollern, ed., *Von Greco bis Goya: Vier Jahrhunderte spanische Malerei* (Munich: Ausstellungsleitung Haus der Kunst/Auslieferung an den Buchhandel, Thiemig, 1982), pp. 210–11 cat. no. 57; Diego Angulo Íñiguez, *Murillo*, 3 vols. (Madrid: Espasa-Calpe, 1981), vol. II, p. 234 no. 7.

23 José Eloy Hortal Muñoz, *Las guardas reales de los Austrias hispanos* (Madrid: Ediciones Polifemo, 2013), pp. 239, 241; Bernardo José García García, "La nación flamenca en la corte española y el Real Hospital de San Andrés ante la crisis sucesoria (1606–1706)," *La pérdida de Europa: La Guerra de Sucesión por la monarquía de España* (Madrid: Fundación Carlos de Amberes, 2007), pp. 379–444, esp. 379, 385–88; Archivo General del Palacio (hereafter AGP), Histórica, Tropas de la Real Casa, Archeros, *caja* 169; AGP, *caja* 167, *personal*, "Rade/Raele, Claudio," documents of 1657 and 1658, in which the archers "Claudio Raele" and "Joan de Leon" are mentioned as serving as "mayordomos de la cofradia del glorioso San Andres."

24 Florentina Vidal Galache and Benicia Vidal Galache, *Fundación Carlos de Amberes: Historia del Hospital de San Andrés de los Flamencos, 1594–1994* (Madrid: Nerea, 1996), p. 15; Reina 1989, p. 24. Although Francis de Decker sought to link Carlos de Amberes to the Antwerp Charles family (Francis de Decker, "La Fondation de Saint-André-des-Flamands à Madrid," *Le Parchemin: Bulletin mensuel édité par l'Office Généalogique et Héraldique de Belgique* 67 [March 1961]: pp. 217–22), the Vidal Galaches demonstrated that the candidate De Decker proposed would have been born almost 30 years later than Carlos de Amberes (Vidal Galache/Vidal Galache 1996, p. 17).

25 García García 2007, p. 381.

26 Reina suggests that it was probably painted between Carlos de Amberes's death in 1604 and the opening of the church in 1607 (Reina 1989, p. 54). The Vidal Galaches (Vidal Galache/Vidal Galache 1996, pp. 18, 30), noting that Carlos de Amberes had left a portrait "yncado de rodillas delante un crucifixio" in the care of his friend, the archer Enrique Cock, suggest that the portrait was painted prior to 1598, the year of Cock's death. Given that the clearly post-mortem inscription does not seem to be affixed on a separate piece of canvas, I would conjecture that Reina is correct about the dating, but that the extant portrait might indeed have been based upon an earlier one. Antonio de León Pinelo saw the portrait as early as 1658, when it was hanging in the hospital's meeting room (Reina 1989, p. 54).

27 Additional archers also named in the will include Hanz de Crens, Gaspar de Ferman, and David Boseen (Vidal Galache/Vidal Galache 1996, pp. 17, 18, 21, 46; Reina 1989, p. 34).

ra de la segunda mitad del siglo 17 en Madrid", *Archivo Español de Arte* 86.344 (2013): p. 356–62; María Teresa Zapata Fernández de la Hoz en Juan Carlos Gómez Aragüete, "Nuevas aportaciones a la obra de Francisco Ignacio Ruiz de la Iglesia (1649–1703)", *Archivo Español de Arte* 85.337 (2012): p. 17–36, vooral 19.

21 Harold E. Wethey, *Alonso Cano: Painter, Sculptor, Architect* (Princeton: Princeton University Press, 1955), p. 97, 138 n. 180; Juan José Martín González, "Tipología del retablo madrileño en la época de Velázquez", *Velázquez y el arte de su tiempo: V Jornadas de Arte* (Madrid: Consejo Superior de Investigaciones Científicas, 1991), p. 321–33, vooral 322; Ángel Rodríguez Rebollo, "A propósito de Alonso Cano: El dibujo para el retablo de San Diego de Alcalá y su homónimo para San Andrés", *In Sapientia Libertas: Escritos en homenaje al profesor Alfonso E. Pérez Sánchez* (Madrid/Sevilla: Museo Nacional del Prado/Fundación Focus-Abengoa, 2007), p. 452–58, 453, 457; Zahira Véliz, *Alonso Cano (1601–1667): Dibujos: Catálogo Razonado* (Santander: Fundación Botín, 2009), p. 444–47; Juan María Cruz Yábar, "La capilla madrileña de San Isidro y sus proyectos previos", *Anales de historia del arte* 25 (2015): p. 163–87, vooral 168–70, 175, afb. 3.

22 Enrique Valdivieso, *Murillo: Catálogo razonado de pinturas* (Madrid. El Viso, 2010), p. 202, 204, 509 nr. 346; Arturo Galansino met bijdragen van Katia Pisvin, "Compassion", *Rubens and his Legacy*, Nico van Hout, red. (Londen: Royal Academy of Arts, 2014), p. 178–221, vooral 180–81, 208; Reina 1989, p. 96; Matías Díaz Padrón in Duvosquel/Vandevivere 1985, vol. II, p. 573–76 cat. nr. C74; Johann Georg Prinz von Hohenzollern, red., *Von Greco bis Goya: Vier Jahrhunderte spanische Malerei* (München: Ausstellungsleitung Haus der Kunst/Auslieferung an den Buchhandel, Thiemig, 1982), p. 210–11 cat. nr. 57; Diego Angulo Íñiguez, *Murillo*, 3 vol. (Madrid: Espasa-Calpe, 1981), vol II, p. 234 nr. 7.

23 José Eloy Hortal Muñoz, *Las guardas reales de los Austrias hispanos* (Madrid: Ediciones Polifemo, 2013), p. 239, 241; Bernardo José García García, "La nación flamenca en la corte española y el Real Hospital de San Andrés ante la crisis sucesoria (1606–1706)", *La pérdida de Europa: La Guerra de Sucesión por la monarquía de España* (Madrid: Fundación Carlos de Amberes, 2007), p. 379–444, vooral 379, 385–88; Archivo General del Palacio (hierna AGP), Histórica, Tropas de la Real Casa, Archeros, *caja* 169; AGP, *caja* 167, *personal*, "Rade/Raele, Claudio", documenten uit 1657 en 1658 waarin de boogschutters "Claudio Raele" en "Joan de Leon" worden vermeld als "mayordomos de la cofradia del glorioso San Andres."

24 Florentina Vidal Galache en Benicia Vidal Galache, *Fundación Carlos de Amberes: Historia del Hospital de San Andrés de los Flamencos, 1594–1994* (Madrid: Nerea, 1996), p. 15; Reina 1989, p. 24. Hoewel Francis de Decker heeft gepoogd Carlos de Amberes in verband te brengen met de Antwerpse familie Charles (Francis de Decker, "La Fondation de Saint-André-des-Flamands à Madrid", *Le Parchemin: Bulletin mensuel édité par l'Office Généalogique et Héraldique de Belgique* 67 [maart 1961]: p. 217–22), toonden de Vidal Galaches aan dat de kandidaat die De Decker voorstelde bijna 30 jaar later zou zijn geboren dan Carlos de Amberes (Vidal Galache/Vidal Galache 1996, p. 17).

25 García García 2007, p. 381.

26 Volgens Reina werd het waarschijnlijk geschilderd tussen het overlijden van Carlos de Amberes in 1604 en de ingebruikname van de kerk in 1607 (Reina 1989, p. 54). De Vidal Galaches (Vidal Galache/Vidal Galache 1996, p. 18, 30) merken op dat Carlos de Amberes een portret "yncado de rodillas delante un crucifixio" aan de zorg van een vriend had toevertrouwd, de boogschutter Enrique Cock, en opperen dat het portret vóór 1598 werd geschilderd, het jaar van overlijden van Cock. Dit opschrift, dat duidelijk van na zijn dood dateert, lijkt niet op een apart stuk schilderdoek

28 Reina 1989, pp. 22, 24–27, 34, 54; De Decker 1961; Vidal Galache/ Vidal Galache 1996, pp. 27–30; García García 2007, pp. 379–81, 386, 388–89, 397–99.

29 Hortal Muñoz 2013, pp. 215, 239–42; García García 2007, pp. 379, 382; Vidal Galache/Vidal Galache 1996, pp. 48–53.

30 García García 2007, p. 385.

31 On these other organizations, see Vidal Galache/Vidal Galache 1996, p. 27; Tamar Herzog, "Private Organizations as Global Networks in Early Modern Spain and Spanish America," *The Collective and the Public in Latin America: Cultural Identities and Political Order*, ed. by Luis Roniger and Tamar Herzog (Brighton: Sussex Academic Press, 2000), pp. 117–33; Hortal Muñoz 2013, pp. 143–44.

32 Marián Kruijer Fernández, "Cornelis de Beer: Opsporing verzocht. Zoektocht naar een Utrechtse schilder en graveur in 17e-eeuws Madrid," M.A. thesis, Universiteit van Amsterdam, 2009, p. 63.

33 Archivo Histórico de Protocolos de Madrid (AHPM), *protocolo* 8299, fols. 968r–970r, esp. 968r–v.

34 Mercedes Agulló y Cobo, *Documentos para la historia de la pintura española I* (Madrid: Museo del Prado, 1994), pp. 116–17. One of his witnesses was another Antwerp painter residing in Madrid, Andries Smidt (c. 1625–1690/91).

35 Van Vucht is described thus on the first folio of the inventory and appraisal of the possessions left on the death of his wife, María Bils, a document drawn up over a period of several months in 1628, from February 1 until April 4. This document is briefly mentioned and quoted – regarding two paintings attributed to Rubens and two to "ban bal" – in Marcus B. Burke and Peter Cherry, *Collections of Paintings in Madrid, 1601–1755* (Los Angeles: Provenance Index of the Getty Information Institute, 1997), pp. 365, 367 n. 3, where Bils's name is mistranscribed. I have not seen this testament referenced elsewhere. My thanks to Teresa Díez de los Ríos San Juan and Marta Trobat Bernier of the AHPM for kindly supplying me with a photocopy of this document, AHPM, *protocolo* 5185, fols. 403r–425r, among others specified below.

The term *mercader de lonja* is difficult to define with certainty. The tentatively offered definition "a wool or hide merchant?" (Burke/Cherry 1997, p. 184) may be too specific. Sebastián de Covarrubias's famed dictionary, *Tesoro de la lengva Castellana, o Española* (Madrid: Por Luis Sanchez, impressor del Rey N.S., 1611), fol. 528r, includes among its definitions of *lonja* the physical spaces in which merchants assembled to conduct business. Richard Percivale's *A Dictionary in Spanish and English* (London: By Iohn Haviland for Edward Blount, 1623), p. 160, defines it thus: "*Lónja*, f. a great peece or part. *Lónja de tocíno*, a lunch of bacon. *Lónja de mercadéres*, a row or place for merchants to walke and confer in, for to doe their businesse. *Lónja de cása*, a low walke under pillers like a cloyster."

36 Rooses 1897; Arnout Balis, "Mécénat espagnol et art flamand au XVIIe siècle," Duvosquel/Vandevivere 1985, pp. 283–96, esp. 292.

37 Burke and Cherry (Burke/Cherry 1997, p. 365) incorrectly describe Pedro van Vucht as Jan's brother, when he was actually his son: Rooses 1897, pp. 122, 136; Eddy Stols, *De Spaanse Brabanders of de handelsbetrekkingen der Zuidelijke Nederlanden met de Iberische wereld, 1598–1648* (Brussels: Paleis der Academiën, 1971), who further mentions that Jan sent Pedro and another son, Juan Enrique, to study at the Jesuit College in Antwerp (vol. I, pp. 252, 394, vol. II, p. 69 no. 569). Van Vucht's youngest child was a daughter, Isabel. See AHPM, *protocolo* 5185, fol. 403r.

te zijn aangebracht, dus ik vermoed dat Reina de correcte datering voorstelt maar dat het bewaarde portret inderdaad op een vroeger portret kon zijn gebaseerd. Antonio de León Pinelo zag het portret al in 1658, toen het in de vergaderzaal van het hospitaal hing (Reina 1989, p. 54).

27 Nog andere boogschutters die in het testament worden vermeld, zijn Hanz de Crens, Gaspar de Ferman en David Boseen (Vidal Galache/Vidal Galache 1996, p. 17, 18, 21, 46; Reina 1989, p. 34).

28 Reina 1989, p. 22, 24–27, 34, 54; De Decker 1961; Vidal Galache/ Vidal Galache 1996, p. 27–30; García García 2007, p. 379–81, 386, 388–89, 397–99.

29 Hortal Muñoz 2013, p. 215, 239–42; García García 2007, p. 379, 382; Vidal Galache/Vidal Galache 1996, p. 48–53.

30 García García 2007, p. 385.

31 Omtrent deze andere organisaties, zie Vidal Galache/Vidal Galache 1996, p. 27; Tamar Herzog, "Private Organizations as Global Networks in Early Modern Spain and Spanish America", *The Collective and the Public in Latin America: Cultural Identities and Political Order*, Luis Roniger en Tamar Herzog, red. (Brighton: Sussex Academic Press, 2000), p. 117–33; Hortal Muñoz 2013, p. 143–44.

32 Marián Kruijer Fernández, "Cornelis de Beer: Opsporing verzocht. Zoektocht naar een Utrechtse schilder en graveur in 17e-eeuws Madrid", masterscriptie, Universiteit van Amsterdam, 2009, p. 63.

33 Archivo Histórico de Protocolos de Madrid (hierna AHPM), *protocolo* 8299, fol. 968r–970r, vooral 968r–v.

34 Mercedes Agulló y Cobo, *Documentos para la historia de la pintura española I* (Madrid: Museo del Prado, 1994), p. 116–17. Een van zijn getuigen was nog een andere in Madrid ingeweken schilder uit Antwerpen, Andries Smidt (ca. 1625–1690/91).

35 Van Vucht wordt aldus beschreven op de eerste folio van de inventaris en taxatie van de bezittingen nagelaten na de dood van zijn echtgenote, María Bils, een document dat over een periode van verscheidene maanden werd opgesteld in 1628, van 1 februari tot 4 april. Dit document wordt kort vermeld en geciteerd – met betrekking tot twee schilderijen toegeschreven aan Rubens en twee aan "ban bal" – in Marcus B. Burke en Peter Cherry, *Collections of Paintings in Madrid, 1601–1755* (Los Angeles: Provenance Index of the Getty Information Institute, 1997), p. 365, 367 n. 3, waar de naam van Bils verkeerd wordt getranscribeerd. Ik heb nergens andere referenties aan dit testament aangetroffen. Dank aan Teresa Díez de los Ríos San Juan en Marta Trobat Bernier van het AHPM voor het bezorgen van een fotokopie van dit document, AHPM, *protocolo* 5185, fol. 403r–425r, samen met andere die ik hierna vermeld.

De term *mercader de lonja* is moeilijk met zekerheid te definiëren. De tentatieve definitie "een wol- of huidenkoopman?" (Burke/Cherry 1997, p. 184) is misschien té specifiek. In het befaamde woordenboek van Sebastián de Covarrubias, *Tesoro de la lengva Castellana, o Española* (Madrid: Por Luis Sanchez, impressor del Rey N.S., 1611), fol. 528r, is een van de definities van *lonja* de fysieke ruimten waarin de kooplieden samenkwamen om handel te drijven. *A Dictionary in Spanish and English* van Richard Percivale (Londen: By Iohn Haviland for Edward Blount, 1623), p. 160, definieert de term als volgt: "*Lónja*, f. a great peece or part. *Lónja de tocíno*, a lunch of bacon. *Lónja de mercadéres*, a row or place for merchants to walke and confer in, for to doe their businesse. *Lónja de cása*, a low walke under pillers like a cloyster."

36 Rooses 1897; Arnout Balis, "Mécénat espagnol et art flamand au XVIIe siècle", Duvosquel/Vandevivere 1985, p. 283–96, vooral 292.

38 Burke/Cherry 1997, p. 365. For Jan's order of a painting of a flower garland by Daniel Seghers (1590–1661), with the figure of the Virgin and Child at center painted by Cornelis Schut (1597–1655), see Walter Couvreur, "Daniël Seghers' inventaris van door hem geschilderde bloemstukken," *Gentse Bijdragen tot de Kunstgeschiedenis en de Oudheidkunde* 20 (1967), pp. 87–158, esp. 102, 148; and for documentation regarding Seghers's efforts to obtain payment for the painting in 1644 following Van Vucht's death, see Erik Duverger, *Antwerpse kunstinventarissen uit de zeventiende eeuw*, 14 vols. (Brussels: Koninklijke Academie voor Wetenschappen, Letteren en Schone Kunsten van België, 1984–2009), vol. V, p. 142 no. 1284; Daniel Seghers was communicating with his relative Cornelis Seghers, who had served as Jan van Vucht's servant in about 1635 (Stols 1971, vol. I, p. 286, vol. II, p. 61 no. 494). Evidently Van Vucht died before paying for the painting; for a document from 1644 related to this matter, see Duverger 1984–2009, vol. V, pp. 142–43 no. 1284.

39 E.g., AHPM, *protocolo* 5185: "un tafetan açul y pagiço enpeñado" (fol. 407r); "doce servilletas del dho mantel [de damasco]" (fol. 410r); "quatro pares de sabanas delgadas de olanda con sus encajes y bainicas" (fol. 410r); "treinta y quatro panuelos echo con puntas" (fol. 411r); "dos medias picas de cambray" (fol. 411v); "un jubon de tela blanca y encarnado con sus botones y guarnecion" (fols. 411v–412r); "un par de ligas de tafetan encarnado con sus puntas de oro" (fol. 413r); "una basquina de Rasso negro picado y aprenssado y guarnecido con diez y seis passamanos y seis pestañas aforrado por su tafetan negro" (fol. 412v); "capa Ropilla y calcon de serquilla picado la capa con dho fajas con sus caracolillos de platta y el jubon de tela aforrado todo en su tafetan berde con sus botones de platta y seda" (fols. 413r–v); "Ropilla y calcon de terçiopelo Rico guarnecida con quatro passamanos y pestaña" (fol. 414r); "veinte y dos doçeinas de botoncillos de platta dorados y esmaltados de blanco y negro" (fol. 415v); "ciento y veinte y ocho baras de passamanos de santa ysabel de colores," (fol. 415v); "diez piecas de damascos de lana" (fol. 417v); "cinq[ta] botones estrellados esmaltados de blanco Rojo y negro" (fol. 419r).

40 E.g., AHPM, *protocolo* 5185: "tres sillas de nogal de Respaldo" (fol. 405v); "quatro bufetes de nogal" (fol. 407v); "dos escritorios de hebano guarnecidos de marfil" (fol. 408r); "un contador de pino" (fol. 408r).

41 AHPM, *protocolo* 5185: "un paño de tapiceria de seda oro y platta... con moysen los diez mandamientos" (fol. 409v); "un quadro de oro esmaltado de blanco y negro por un lado nra s[a] y por otro lado san Franco" (fol. 419v); "un santiago esmaltado de colores con cinco diamantes pequeños" (fol. 420r); "dos crucifijos de ebano el uno con su cristo de marfil y el otro de madera" (fol. 408r).

42 E.g., "quatro pinturas al olio sobre madera...con sus marcos dorados," "seis laminas con sus marcos de hebano," and "un lienço sobre su bastidor" (AHPM, *protocolo* 5185, fols. 408r–v). For the seventeenth-century use of *lámina* to signify paintings on copper or other metal plates, see Peter Cherry, "Seventeenth-Century Spanish Taste," Burke/Cherry 1997, pp. 1–107, esp. 4.

43 AHPM, *protocolo* 5185, fols. 408r–409v.

44 "Yten dos liencos de Rubbens el Uno cassa de leones y el otro de lupardes tassados con sus marcos en mill y dos° Rs / Yten dos liencos de ban bal con sus marcos el uno de europa con sus ninfas y el otro de jup[it]er y dioces tasados en ochocientos reales" (AHPM, *protocolo* 5185, fols. 409r–v; these two entries are partially quoted and described in Burke/Cherry 1997, pp. 365, 367 n. 3).

45 J. Richard Judson and Carl van de Velde, *Book Illustrations and Title Pages*, Corpus Rubenianum Ludwig Burchard, XXI (Brussels: Arcade

37 Burke en Cherry (Burke/Cherry 1997, p. 365) beschrijven Pedro van Vucht verkeerdelijk als de broer van Jan, terwijl hij in feite diens zoon was: Rooses 1897, p. 122, 136; Eddy Stols, *De Spaanse Brabanders of de handelsbetrekkingen der Zuidelijke Nederlanden met de Iberische wereld, 1598–1648* (Brussel: Paleis der Academiën, 1971), die ook vermeldt dat Jan zijn zoon Pedro en nog een andere zoon, Juan Enrique, liet studeren aan het jezuïetencollege van Antwerpen (vol. I, p. 252, 394, vol. II, p. 69 nr. 569). Van Vuchts jongste kind was een dochter, Isabel. Zie AHPM, *protocolo* 5185, fol. 403r.

38 Burke/Cherry 1997, p. 365. Omtrent Jans bestelling van een schilderij van een bloemenkrans door Daniel Seghers (1590–1661), met de centrale figuur van Maria met Kind geschilderd door Cornelis Schut (1597–1655), zie Walter Couvreur, "Daniël Seghers' inventaris van door hem geschilderde bloemstukken", *Gentse Bijdragen tot de Kunstgeschiedenis en de Oudheidkunde* 20 (1967), p. 87–158, vooral 102, 148; omtrent de documentatie met betrekking tot de inspanningen die Seghers in 1644 leverde om te worden betaald voor het schilderij na Van Vuchts dood, zie Erik Duverger, *Antwerpse kunstinventarissen uit de zeventiende eeuw*, 14 vol. (Brussel: Koninklijke Academie voor Wetenschappen, Letteren en Schone Kunsten van België, 1984–2009), vol. V, p. 142 nr. 1284; Daniel Seghers stond in contact met zijn familielid Cornelis Seghers, die ca. 1635 als dienaar voor Jan van Vucht had gewerkt (Stols 1971, vol. I, p. 286, vol. II, p. 61 nr. 494). Van Vucht overleed kennelijk voordat hij het schilderij betaalde; voor een document uit 1644 omtrent deze kwestie, zie Duverger 1984–2009, vol. V, p. 142–43 nr. 1284.

39 Bijvoorbeeld, AHPM, *protocolo* 5185: "un tafetan açul y pagiço enpeñado" (fol. 407r); "doce servilletas del dho mantel [de damasco]" (fol. 410r); "quatro pares de sabanas delgadas de olanda con sus encajes y bainicas" (fol. 410r); "treinta y quatro panuelos echo con puntas" (fol. 411r); "dos medias picas de cambray" (fol. 411v); "un jubon de tela blanca y encarnado con sus botones y guarnecion" (fols. 411v–412r); "un par de ligas de tafetan encarnado con sus puntas de oro" (fol. 413r); "una basquina de Rasso negro picado y aprenssado y guarnecido con diez y seis passamanos y seis pestañas aforrado por su tafetan negro" (fol. 412v); "capa Ropilla y calcon de serquilla picado la capa con dho fajas con sus caracolillos de platta y el jubon de tela aforrado todo en su tafetan berde con sus botones de platta y seda" (fols. 413r–v); "Ropilla y calcon de terçiopelo Rico guarnecida con quatro passamanos y pestaña" (fol. 414r); "veinte y dos doçeinas de botoncillos de platta dorados y esmaltados de blanco y negro" (fol. 415v); "ciento y veinte y ocho baras de passamanos de santa ysabel de colores", (fol. 415v); "diez piecas de damascos de lana" (fol. 417v); "cinq[ta] botones estrellados esmaltados de blanco Rojo y negro" (fol. 419r).

40 Bijvoorbeeld, AHPM, *protocolo* 5185: "tres sillas de nogal de Respaldo" (fol. 405v); "quatro bufetes de nogal" (fol. 407v); "dos escritorios de hebano guarnecidos de marfil" (fol. 408r); "un contador de pino" (fol. 408r).

41 AHPM, *protocolo* 5185: "un paño de tapiceria de seda oro y platta... con moysen los diez mandamientos" (fol. 409v); "un quadro de oro esmaltado de blanco y negro por un lado nra s[a] y por otro lado san Fran[co]" (fol. 419v); "un santiago esmaltado de colores con cinco diamantes pequeños" (fol. 420r); "dos crucifijos de ebano el uno con su cristo de marfil y el otro de madera" (fol. 408r).

42 Bijvoorbeeld, "quatro pinturas al olio sobre madera...con sus marcos dorados", "seis laminas con sus marcos de hebano", en "un lienço sobre su bastidor" (AHPM, *protocolo* 5185, fols. 408r–v). Voor het zeventiende-eeuwse gebruik van *lámina* om te verwijzen naar schilderen op koperen of andere metalen platen, zie Peter Cherry, "Seventeenth-Century Spanish Taste", Burke/Cherry 1997, p. 1–107, vooral 4.

Press, 1997), vol. I, p. 25. The forthcoming exhibition (fall 2018) on the relationship of Rubens and Moretus at Museum Plantin-Moretus, Antwerp, promises to shed further light on their relationship.

46 Frans Robbens, "Plantin en de boekhandel in Spanje," *De Gulden Passer* 66–67.89 (1988): pp. 399–418, esp. 405–6; Jaime Moll, "Plantino y la industria editorial española," *Cristóbal Plantino: Un siglo de intercambios culturales entre Amberes y Madrid*, ed. by Fernando Checa Cremades (Madrid: Fundación Carlos de Amberes, 1995), pp. 11–30, esp. 18, 26–27; Werner Thomas and Eddy Stols, eds., *Un mundo sobre papel: Libros y grabados flamencos en el imperio hispanoportugues (siglos XVI–XVII)* (Leuven: Acco, 2009), esp. Francine de Nave, Eddy Stols, and Werner Thomas, "Introducción," pp. 7–20, esp. 9, and Dirk Imhof, "Las ediciones españolas de la Officina Plantiniana," pp. 63–82, esp. 79.

47 Rooses 1897, pp. 124–25.

48 Max Rooses and Charles Ruelens, *Correspondance de Rubens et documents épistolaires concernant sa vie et ses oeuvres*, 6 vols. (Antwerp: De Backer, 1887–1909), vol. V. For example, Moretus reported to Van Vucht in 1637 that the Cardinal-Infante Ferdinand had visited him in Antwerp and that he had presented him with a newly-printed edition of the works of Justus Lipsius, dedicated to Ferdinand (Judson/Van de Velde 1997, vol. II, p. 426 no. 150). He also lamented that Spanish soldiers stationed in Flanders had not been paid and hoped that the Marquis of Leganés, who had just arrived in Brussels in March of 1630, would be bringing provisions (Rooses 1897, p. 127). Mutual acquaintances included Friar Lucas de Alcalá and Louis Pérez de Baron (Rooses/Ruelens 1887, vol. V, pp. 195–96 no. DCXXX; 293–95 no. DCLXXI; 300–1 no. DCLXXIV). For additional discussion of Rubens's relationship with Moretus, see, Max Rooses, "Petrus-Paulus Rubens en Balthasar Moretus," *Rubens-Bulletijn* I (1882): pp. 203–19, 275–99 and *Rubens-Bulletijn* II (1883): pp. 48–80, 125–48, 176–211 (republished in a single volume: Max Rooses, *Petrus-Paulus Rubens en Balthasar Moretus: Een bijdrage tot de geschiedenis der kunst* [Antwerp/Ghent: Drukkerij Wed. De Backer/Ad. Hoste, 1884]); for discussion of Van Vucht, see in particular Rooses 1882, pp. 289, 294–98.

49 Rooses/Ruelens 1887, vol. V, pp. 195–96 no. DCXXX; 293–95 no. DCLXXI; see also Rooses 1897, pp. 125, 128.

50 Rooses/Ruelens 1887, vol. V, pp. 300–1 no. DCLXXIV; 304 no. DCLXXVII; 331 no. DCLXXXIII; 333 no. DCLXXXV ("Diana met twee nymphen"); 338 no. DCLXXXIX.

51 Rooses 1897, p. 130; Stols 1971, vol. I, pp. 83–84, 84 n. 255; Vidal Galache/Vidal Galache 1996, p. 40; Vergara 1999, pp. 136–38.

52 Rooses 1897, p. 123; García García 2007, pp. 405, 412; Vidal Galache/Vidal Galache 1996, p. 42. For Jan van Vucht's generosity not only to the hospital but also to various servants and workers with whom he had been in contact, see Stols 1971, vol. I, pp. 366, 373 n. 183.

53 For the practice of shipping unframed paintings from Flanders to Spain – and the employment of ebonists at the Escorial to frame them – see María Pía Timón Tiemblo, *El marco en España: Del mundo romano al inicio del modernismo* (Madrid: Publicaciones Europeas de Arte, 2003), p. 343.

54 References to both in the testament and in the literature are cited in detail in Section V and its corresponding endnotes.

55 AHPM, *protocolo* 4696, fols. 1321r–1324v (my thanks to the staff of the AHPM for supplying me with a photocopy). The testament was first transcribed and published by Rooses 1897, pp. 132–37. The passage of greatest relevance here – in which Van Vucht donates the painting and gives directions for ordering the frame – appears on fol. 1323r (Rooses

43 AHPM, *protocolo* 5185, fol. 408r–409v.

44 "Yten dos liencos de Rubbens el Uno cassa de leones y el otro de lupardes tassados con sus marcos en mill y dos° Rs / Yten dos liencos de ban bal con sus marcos el uno de europa con sus ninfas y el otro de jup[it]er y dioces tasados en ochocientos reales" (AHPM, *protocolo* 5185, fol. 409r–v; deze twee notities worden gedeeltelijk geciteerd en beschreven in Burke/Cherry 1997, p. 365, 367 n. 3).

45 J. Richard Judson en Carl van de Velde, *Book Illustrations and Title Pages*, Corpus Rubenianum Ludwig Burchard, XXI (Brussel: Arcade Press, 1997), vol. I, p. 25. De tentoonstelling in het Antwerpse Museum Plantin-Moretus in het najaar van 2018 gewijd aan de relatie tussen Rubens en Moretus zal deze relatie verder uitdiepen.

46 Frans Robbens, "Plantin en de boekhandel in Spanje", *De Gulden Passer* 66–67.89 (1988): p. 399–418, vooral 405–6; Jaime Moll, "Plantino y la industria editorial española", *Cristóbal Plantino: Un siglo de intercambios culturales entre Amberes y Madrid*, Fernando Checa Cremades, red. (Madrid: Fundación Carlos de Amberes, 1995), p. 11–30, vooral 18, 26–27; Werner Thomas en Eddy Stols, red., *Un mundo sobre papel: Libros y grabados flamencos en el imperio hispanoportugues (siglos XVI–XVII)* (Leuven: Acco, 2009), vooral Francine de Nave, Eddy Stols en Werner Thomas, "Introducción", p. 7–20, vooral 9, en Dirk Imhof, "Las ediciones españolas de la Officina Plantiniana", p. 63–82, vooral 79.

47 Rooses 1897, p. 124–25.

48 Max Rooses en Charles Ruelens, *Correspondance de Rubens et documents épistolaires concernant sa vie et ses oeuvres*, 6 vol. (Antwerpen: De Backer, 1887–1909), vol. V. Zo meldde Moretus in 1637 aan Van Vucht dat kardinaal-infant Ferdinand hem in Antwerpen had bezocht en dat hij hem een pasgedrukte uitgave van de werken van Justus Lipsius had geschonken, met een opdracht aan Ferdinand (Judson/Van de Velde 1997, vol. II, p. 426 nr. 150). Hij klaagde er ook over dat de in Vlaanderen gelegerde Spaanse soldaten niet betaald waren en hij hoopte dat de markies van Leganés, die toen net in Brussel was aangekomen in maart 1630, provisies mee zou brengen (Rooses 1897, p. 127). Als gemeenschappelijke kennissen hadden ze onder meer broeder Lucas de Alcalá en Louis Pérez de Baron (Rooses/Ruelens 1887, vol. V, p. 195–96 nr. DCXXX; 293–95 nr. DCLXXI; 300–1 nr. DCLXXIV). Voor een verdere bespreking van Rubens' relatie met Moretus, zie Max Rooses, "Petrus-Paulus Rubens en Balthasar Moretus", *Rubens-Bulletijn* I (1882): p. 203–19, 275–99 en *Rubens-Bulletijn* II (1883): p. 48–80, 125–48, 176–211 (heruitgegeven in één volume: Max Rooses, *Petrus-Paulus Rubens en Balthasar Moretus: Een bijdrage tot de geschiedenis der kunst* [Antwerpen/Gent: Drukkerij Wed. De Backer/Ad. Hoste, 1884]); voor een bespreking van Van Vucht, zie met name Rooses 1882, p. 289, 294–98.

49 Rooses/Ruelens 1887, vol. V, p. 195–96 nr. DCXXX; 293–95 nr. DCLXXI; zie ook Rooses 1897, p. 125, 128.

50 Rooses/Ruelens 1887, vol. V, p. 300–1 nr. DCLXXIV; 304 nr. DCLXXVII; 331 nr. DCLXXXIII; 333 nr. DCLXXXV ("Diana met twee nymphen"); 338 nr. DCLXXXIX.

51 Rooses 1897, p. 130; Stols 1971, vol. I, p. 83–84, 84 n. 255; Vidal Galache/Vidal Galache 1996, p. 40; Vergara 1999, p. 136–38.

52 Rooses 1897, p. 123; García García 2007, p. 405, 412; Vidal Galache/Vidal Galache 1996, p. 42. Omtrent Jan van Vuchts vrijgevigheid, niet alleen jegens het hospitaal maar ook jegens verscheidene dienaren en werklieden waarmee hij in contact was gekomen, zie Stols 1971, vol. I, p. 366, 373 n. 183.

1897, p. 134). I have checked the transcription of this passage against the original text. Here, it is quite clear that Rooses accurately transcribed the reference to the framemakers as "abraan lers y Ju° beymar ebanista criados de su mag^d^." (Rooses 1897, p. 134). Several authors, citing Rooses, correctly followed this transcription in quoting the will (e.g. Vlieghe 1972, p. 89; Vosters 1990, p. 89).

However, an error appears in the paleographic transcriptions made by Elena Reina and Teresa Baratech in Reina 1989; in quoting the testament, which they cite to Rooses 1997 and Vlieghe 1972, they nevertheless mention "Abr*aham* Lers y Ju*lien* Beymar ebanista*s*, criados de su majes*tad*" (my emphases). In seeking to flesh out an abbreviated name, they incorrectly understood the abbreviation Ju° – the standard abbreviation for Juan – as being short for Julien rather than Juan (for this common abbreviation, see A. Roberta Carlin, *A Paleographic Guide to Spanish Abbreviations 1500–1700: Una guia paleográfica de abbreviaturas españolas 1500–1700* [U.S.A.: Universal-Publishers, 2003], pp. 70–71; Vlieghe 1972, p. 89, did so too – Juliaan – though he also included the correct original transcription on the same page). These errors were repeated in Vidal Galache/Vidal Galache 1996, pp. 40, 220 (incidentally, these authors introduce their own spelling inconsistencies Abraham/Abrahan, Julien/Julian, though this is irrelevant since none of the options they present fit the original text). In addition, in pluralizing the word *ebanista*, they lose the nuance that in fact only the latter, Beymar/Wymberg, was an ebonist, although both were indeed servants of the king in their capacity as archers.

56 My translation, which differs in substantial ways from that given in "Dossier Rubens en inglés," 2015, courtesy of the Fundación Carlos de Amberes, Madrid.

57 Felixarchief, Antwerp, guide: #355–2, Onze-Lieve-Vrouwekerk, *Dopen* 1581–1600 and PR#11, *Doopregister* 1592–1606. Regarding Abraham's date of birth, see also Wolfgang Schmidt-Scharff, *Johann Georg Leerse, ein Frankfurter Kaufmann im 18. Jahrhundert* (Frankfurt am Main: Englert & Schlosser, 1931), pp. 125–26 n. 20, 130 n. 29 (incorrectly listed as 1591), "Appendix I. Stammtafel Leerse" (n.p.), and for his death in Spain, pp. 5, 143 n. 112.

58 Parish baptism registers (previous note). In a notarial document drawn up in Madrid in 1630, Abraham stated his parents' names as "absalon lerse" and "maria Isbre," a logical hispanization of Gÿsbrechts (AHPM, *protocolo*, 6116, fols. 60r–68r, esp. fol. 60r; my thanks to the staff of the AHPM for supplying me with a photocopy). For additional information about Leerse's family – particularly his parents – and the family's shifting religious beliefs over time, see Schmidt-Scharff 1931, esp. pp. 5, 123 n. 5, 125–26 ns. 20–22, 129–30 n. 29.

59 Hortal Muñoz 2013, CD-PDF p. 687: his siblings were "Sebastián," "Sara," "Absalón," and "María." Evidence of a sixth sibling, who died young, is provided by Schmidt-Scharff 1931, pp. 5, 125–26 n. 20.

60 P. Rombouts and T. Van Lerius, *De Liggeren en andere historische archieven der Antwerpsche Sint Lucasgilde*, 2 vols. (Amsterdam: N. Israel, 1961, reprint of 1864 ed.), vol. I, pp. 466, 470; Wolfgang Adler, *Jan Wildens: Der Landschaftsmitarbeiter des Rubens* (Fridingen: Graf Klenau Verlags GmbH, 1980), p. 68. For more recent brief notices on Wildens, see Klaus Ertz, Alexander Wied, and Karl Schütz, *Die flämische Landschaft, 1520–1700* (Lingen: Luca Verlag, 2003), p. 398; Christiane Haeseler and Agnes Tieze, *Flämische Gemälde im Städel Museum, 1550–1800* (Petersberg: Imhof, 2009), p. 657. For Rubens's collaboration with Wildens, see Arnout Balis, *Hunting Scenes*, Corpus Rubenianum Ludwig Burchard, XVIII.2 (London: Harvey Miller, 1986), pp. 42–43, 42 n. 34; Arnout Balis, "'Fatto da un mio discepolo':

53 Voor de praktijk van het transporteren van niet-ingelijste schilderijen van Vlaanderen naar Spanje – en het inzetten van ebenisten in het Escorial om ze in te lijsten – zie María Pía Timón Tiemblo, *El marco en España: Del mundo romano al inicio del modernismo* (Madrid: Publicaciones Europeas de Arte, 2003), p. 343.

54 Verwijzingen naar beiden in het testament en in de literatuur worden in detail aangehaald in Deel V en de bijbehorende eindnoten.

55 AHPM, *protocolo* 4696, fol. 1321r–1324v (dank aan de staf van het AHPM voor het bezorgen van een fotokopie). Het testament werd voor het eerste getranscribeerd en uitgegeven door Rooses 1897, p. 132–37. De voor ons relevantste passage – waarin Van Vucht het schilderij schenkt en richtlijnen geeft voor het bestellen van de lijst – staat op fol. 1323r (Rooses 1897, p. 134). Ik heb de transcriptie van deze passage vergeleken met de originele tekst. Het is duidelijk dat Rooses de verwijzing naar de lijstenmakers correct heeft getranscribeerd als "abraan lers y Ju° beymar ebanista criados de su mag^d^." (Rooses 1897, p. 134). Verscheidene auteurs volgden correct deze transcriptie voor het citeren van het testament van Rooses (b.v. Vlieghe 1972, p. 89; Vosters 1990, p. 89).

Er staat echter een fout in de paleografische transcripties gemaakt door Elena Reina en Teresa Baratech in Reina 1989; in hun citaat uit het testament, waarvoor ze naar Rooses 1997 en Vlieghe 1972 verwijzen, vermelden ze "Abr*aham* Lers y Ju*lien* Beymar ebanista*s*, criados de su maj*estad*" (mijn cursiveringen). In hun poging een afgekorte naam volledig uit te werken, interpreteerden ze de afkorting Ju° – de standaardafkorting voor Juan – onterecht als een verwijzing naar Julien eerder dan Juan (voor deze algemeen gangbare afkorting, zie A. Roberta Carlin, *A Paleographic Guide to Spanish Abbreviations 1500–1700: Una guia paleográfica de abbreviaturas españolas 1500–1700* (VS: Universal-Publishers, 2003), p. 70–71; ook bij Vlieghe 1972, p. 89, is dat het geval – Juliaan – hoewel hij ook de correcte oorspronkelijk transcriptie op dezelfde pagina opneemt). Deze fouten werden overgenomen in Vidal Galache/Vidal Galache 1996, p. 40, 220 (overigens gebruiken deze auteurs ook hun eigen inconsequente spellingsvarianten Abraham/Abrahan, Julien/Julian, hoewel dit irrelevant is daar geen van de opties die ze voorstellen in de oorspronkelijke tekst voorkomen). Daarenboven verliezen ze, door het woord *ebanista* in het meervoud te plaatsen, de nuance dat in feite enkel de laatstgenoemde, Beymar/Wymberg, ebenist was, hoewel ze allebei inderdaad als boogschutter in diens van de koning waren.

56 Mijn vertaling, die aanzienlijk afwijkt van die gegeven in "Dossier Rubens en inglés", 2015, met toestemming van de Fundación Carlos de Amberes, Madrid.

57 Felixarchief, Antwerpen, gids: #355–2, Onze-Lieve-Vrouwekerk, Dopen 1581–1600 en PR#11, Doopregister 1592–1606. Met betrekking tot de geboortedatum van Abraham, zie ook Wolfgang Schmidt-Scharff, *Johann Georg Leerse, ein Frankfurter Kaufmann im 18. Jahrhundert* (Frankfurt am Main: Englert & Schlosser, 1931), p. 125–26 n. 20, p. 130 n. 29 (incorrect vermeld als 1591), "Appendix I. Stammtafel Leerse" (z.p.), en voor zijn dood in Spanje, p. 5, 143 n. 112.

58 Doopregisters (vorige noot). In een notarieel document dat Abraham in 1630 in Madrid opstelde, gaf hij de namen van zijn ouders op als "absalon lerse" en "maria Isbre", een logische verspaansing van Gÿsbrechts (AHPM, *protocolo*, 6116, fol. 60r–68r, vooral fol. 60r; dank aan de staf van het AHPM voor het bezorgen van een fotokopie). Voor bijkomende informatie over de familie van Leerse – met name zijn ouders – en de wisselende geloofsovertuigingen van de familie, zie Schmidt-Scharff 1931, vooral p. 5, 123 n. 5, 125–26 n. 20–22, 129–30 n. 29.

Rubens's Studio Practices Reviewed," *Rubens and his Workshop: The Flight of Lot and his Family from Sodom*, ed. by Toshiharu Nakamura (Tokyo: The National Museum of Western Art, 1994), pp. 97–127, esp. 104.

Wildens would become extended family of the Leerse clan: after Wildens's father's death, his mother remarried and had five children, one of whom would marry Sara Leerse, Abraham's sister (Duverger 1984–2009, vol. VI, p. 505 no. 1902; Schmidt-Scharff 1931, p. 142 n. 98). In a testament of September 21, 1658, Sara Leerse owned various items of silver and paintings, including a portrait of "Schoonmoeder Cock" by Rubens, as well as several other works by Rubens (Duverger 1984–2009, vol. VIII, pp. 19–20 no. 2244).

Incidentally, although Wildens never traveled to Spain, he did much work for Spanish patrons indirectly via his work for Rubens. At least five of his landscapes were in the Buen Retiro Palace in the seventeenth century (Jonathan Brown and John Huxtable Elliott, *A Palace for a King: The Buen Retiro and the Court of Philip IV* [New Haven: Yale University Press, 2003, rev. and expanded ed.], p. 139); the Marquis of Leganés also owned seventeen paintings by Wildens, at least some done in collaboration with Rubens (José Juan Pérez Preciado, "El Marqués de Leganés y las artes," 2 vols., Ph.D. diss., Universidad Complutense de Madrid, 2010, esp. vol. I, p. 195).

61 Jan Denucé, *The Antwerp Art-Galleries: Inventories of the Art-Collections in Antwerp in the 16th and 17th Centuries* (Antwerp: De Sikkel, 1932), pp. 154ff no. 41; Adler 1980, p. 13, where various other paintings of members of the Wildens family, by both Rubens and Van Dyck, are mentioned; Hans Vlieghe, *Rubens: Portraits of Identified Sitters Painted in Antwerp*, Corpus Rubenianum Ludwig Burchard, XIX (London: Harvey Miller, 1987), pp. 200–1.

62 Rombouts/Van Lerius 1864/1961, vol. I, p. 661; Duverger 1984–2009, vol. V, p. 45 no. 1217, which enumerates the family relationships. Philips's son, the Sebastiaen Leerse who died in 1691, had in his inventory two full-length portraits of his mother and father by "Langen Jan," the nickname of the artist Jan Boeckhorst. Susan J. Barnes, Nora De Poorter, Oliver Millar, and Horst Vey (Susan J. Barnes, et al., *Van Dyck: A Complete Catalogue of the Paintings* [New Haven: Yale University Press, 2004], p. 377, III.172–73) dismissed the suggestion made by Helmut Lahrkamp (Helmut Lahrkamp, et al., *Jan Boeckhorst: 1604–1668: Medewerker van Rubens* [Freren: Luca, 1990], p. 28 n. 29, figs. 28–29) that these two paintings are those today in the Alte Pinakothek in Munich, since the inventory evidence is too minimal to definitively link them, and the attribution itself is somewhat in doubt. Maria Galen evidently rejected Lahrkamp's suggestion as well, since she lists the Leerse family portraits among lost/missing works (Maria Galen, *Johann Boeckhorst: Gemälde und Zeichnungen* [Hamburg: Baar, 2012], p. 480 no. 113).

63 Federico Navarro, Conrado Morterero, and Gonzalo Porras, *Noble Guardia de Arqueros de Corps* (Madrid: Hidalguía, 1962, reprint 1997), p. 53; Hortal Muñoz 2013, CD-PDF p. 687.

64 AGP, *cajas* 169, 170, 171. In 1625, he was described as living in houses provided by the guard at "nº 300 de la buida de mrn Ramos frontero de San Luis" (AGP, *caja* 170).

65 AGP, *caja* 169.

66 In 1656, three years before his death, he transferred various debts owed to him by Adam de Rogival (or Rochival) to the hospital (García García 2007, p. 406).

67 Notwithstanding his name, De Lovaina hailed from 's-Hertogenbosch and served as an archer from 1622 until his death in 1647 (Hortal Muñoz

59 Hortal Muñoz 2013, CD-PDF p. 687: zijn broers en zusters waren "Sebastián", "Sara", "Absalón" en "María." Bewijs van nog een zesde kind, dat op jonge leeftijd stierf, wordt geleverd door Schmidt-Scharff 1931, p. 5, 125–26 n. 20.

60 P. Rombouts en T. Van Lerius, *De Liggeren en andere historische archieven der Antwerpsche Sint Lucasgilde*, 2 vol. (Amsterdam: N. Israel, 1961, herdruk van ed. 1864), vol. I, p. 466, 470; Wolfgang Adler, *Jan Wildens: Der Landschaftsmitarbeiter des Rubens* (Fridingen: Graf Klenau Verlags GmbH, 1980), p. 68. Voor recentere korte notities over Wildens, zie Klaus Ertz, Alexander Wied en Karl Schütz, *Die flämische Landschaft, 1520–1700* (Lingen: Luca Verlag, 2003), p. 398; Christiane Haeseler en Agnes Tieze, *Flämische Gemälde im Städel Museum, 1550–1800* (Petersberg: Imhof, 2009), p. 657. Voor Rubens' samenwerking met Wildens, zie Arnout Balis, *Hunting Scenes*, Corpus Rubenianum Ludwig Burchard, XVIII.2 (Londen: Harvey Miller, 1986), p. 42–43, 42 n. 34; Arnout Balis, "'Fatto da un mio discepolo': Rubens's Studio Practices Reviewed", *Rubens and his Workshop: The Flight of Lot and his Family from Sodom*, Toshiharu Nakamura, red. (Tokyo: The National Museum of Western Art, 1994), p. 97–127, vooral 104.

Uiteindelijk werd Wildens opgenomen in de bredere familie van de clan-Leerse: na de dood van Wildens' vader hertrouwde zijn moeder. Ze had vijf kinderen, waarvan er een huwde met Sara Leerse, de zuster van Abraham (Duverger 1984–2009, vol. VI, p. 505 nr. 1902; Schmidt-Scharff 1931, p. 142 n. 98). Uit een testament van 21 september 1658 blijkt dat Sara Leerse verscheidene stuks zilverwerk en schilderijen bezat, waaronder een portret van "Schoonmoeder Cock" van Rubens, naast verscheidene andere werken van Rubens (Duverger 1984–2009, vol. VIII, p. 19–20 nr. 2244).

Hoewel Wildens overigens nooit naar Spanje reisde, werkte hij dikwijls onrechtstreeks voor Spaanse opdrachtgevers via zijn werk voor Rubens. Ten minste vijf van zijn landschappen bevonden zich in de zeventiende eeuw in het paleis Buen Retiro (Jonathan Brown en John Huxtable Elliott, *A Palace for a King: The Buen Retiro and the Court of Philip IV* [New Haven: Yale University Press, 2003, herziene en uitgebreide editie]), p. 139; de markies van Leganés bezat ook zeventien schilderijen van Wildens, waarvan er minstens enkele in samenwerking met Rubens tot stand waren gekomen (José Juan Pérez Preciado, "El Marqués de Leganés y las artes", 2 vol., doctoraatsthesis, Universidad Complutense de Madrid, 2010, vooral vol. I, p. 195).

61 Jan Denucé, *The Antwerp Art-Galleries: Inventories of the Art-Collections in Antwerp in the 16th and 17th Centuries* (Antwerpen: De Sikkel, 1932), p. 154 e.v. nr. 41; Adler 1980, p. 13, waar verscheidene andere schilderijen in het bezit van leden van de familie-Wildens, van zowel Rubens als Van Dyck, worden vermeld; Hans Vlieghe, *Rubens: Portraits of Identified Sitters Painted in Antwerp*, Corpus Rubenianum Ludwig Burchard, XIX (Londen: Harvey Miller, 1987), p. 200–1.

62 Rombouts/Van Lerius 1864/1961, vol. I, p. 661; Duverger 1984–2009, vol. V, p. 45 nr. 1217, dat de familierelaties opsomt. De zoon van Philips, de Sebastiaen Leerse die in 1691 overleed, had in zijn inventaris twee portretten ten voeten uit van zijn moeder en vader door "Langen Jan", de bijnaam van de kunstenaar Jan Boeckhorst. Susan J. Barnes, Nora De Poorter, Oliver Millar en Horst Vey (Susan J. Barnes, et al., *Van Dyck: A Complete Catalogue of the Paintings* [New Haven: Yale University Press, 2004], p. 377, III.172–73) verwierpen de idee van Helmut Lahrkamp (Helmut Lahrkamp, et al., *Jan Boeckhorst: 1604–1668: Medewerker van Rubens* [Freren: Luca, 1990], p. 28 n. 29, afb. 28–29) dat deze twee schilderijen de werken zijn die zich thans in de Alte Pinakothek in München bevinden, want het bewijsmateriaal in de inventaris is te beperkt om ze

2013, CD PDF pp. 687, 717; Alicia Esteban Estríngana, "Provisiones de Flandes y capitales flamencos: Crónica de un encuentro anunciado en la primera mitad del siglo XVII (1619–1649)," *Banca, Crédito y Capital: La monarquía hispánica y los antiguos Países Bajos (1505–1700)*, ed. by Carmen Sanz Ayán and Bernardo José García García [Madrid: Fundación Carlos de Amberes, 2006], pp. 232–74, esp. 258–61; Stols 1971, vol. I, p. 152, vol. II, p. 43). Stols is perhaps the only author I am aware of to raise the possibility of a connection between the archival sources on Leerse's artistic training in Antwerp and those relating to his life in Madrid: he writes of the Leerse trading in wool in Madrid, "Wellicht was hij dezelfde als een gelijknamige leerling van de Antwerpse schilder Jan Wildens in 1610" (Stols 1971, vol. II, p. 43).

Although Hortal Muñoz indicates that the joint business operations of Leerse and De Lovaina concluded in 1629, these seem to have caused them some difficulties, first in that year, when they had some goods confiscated by the Spanish authorities (Ángel Alloza Aparicio, "Guerra económica y comercio europeo en España, 1624–1674. Las grandes represalias y la lucha contra el contrabando," *Hispania* 65.219 [April 2005]: pp. 227–79, esp. 256 n. 63) and subsequently in the 1650s (Gonzalo Porras y Rodríguez de León, *La prueba nobiliaria de los Arqueros, de la Noble Guardia de Corps* [Madrid: Hidalguía, 1962], p. 13; Navarro/Morterero/Porras 1962/1997, p. 91; AGP, *caja* 165, *personal*, "Lers, Abraham."

Incidentally, Abraham Leerse's grandfather Sebastiaen had also been active as a cloth merchant, alongside his activities as a druggist (Schmidt-Scharff 1931, pp. 4, 123 n. 5).

68 Michael North, "Kunst und Ökonomie. Kulturelle Beziehungen zwischen den Niederlanden und den Städten des Ostseeraums," *Multiplicatio et Variatio: Beiträge zur Kunst: Festgabe für Ernst Badstübner zum 65. Geburtstag*, ed. by Matthias Müller and Ernst Badstübner (Berlin: Lukas, 1988), pp. 311–20, esp. 318. Pine and oak were routinely shipped from Scandinavia and Central Europe, through Flanders, before being imported into Spain and used for frame construction (Timón Tiemblo 2003, p. 48); it is tempting to wonder if Leerse's Flemish background and connections might have given him an advantage in trading in such materials, which would have related so directly to his artistic projects.

69 AHPM, *protocolo* 6116, fol. 62v: "Yten yo el dho abrahan lerse, declaro que soy mozo soltero y por cassar / Yten declaramos que nosotros avemos estado, y de presente estamos juntos en una cassa, comiendo a una messa como dos buenos amigos y paysanos, abra cerca de ocho años, durante los quales avemos tenido compañía de nuestras Haziendas con la ygualdad posible, conserbandonos, en Amistad." Esteban Estríngana 2006, p. 260, quotes a small portion of this passage. The earlier testament is the following: AHPM, *protocolo* 4111, fols. 332r–334v (my thanks to the staff of the AHPM for supplying me with a photocopy).

70 AHPM, *protocolo* 6116, fol. 62r: "Yten mandamos de limosna cada uno de nosotros para el ospital de señor San andres qu[e] esta en esta dha villa donde se curan en esta corte los pobres enfermos de nuestra nacion veynte y cinco ducados por una vez." The analogous passage in the 1624 testament, AHPM, *protocolo* 4111, is on fol. 333v.

71 AHPM, *protocolo* 4111, fol. 334r: "y yo el dho abraam lerse a sevastian lerse=y a sara lerse mis hermanos y a los hixos de maria ~~de~~ lersse mi hermana difunta y a los hixos de absalon lerse mi hermano difunto para que los ayan y ereden;" AHPM, *protocolo* 6116, fol. 67r: "Y yo el dicho abraham lerse dexo por mis universales Herederos a sebastian lerse y a sara lerse mis hermanos y a los Hijos de maria lerse mi hermana difunta y a los Hijos de absalon lerse mi hermano assimismo difunto para que los ayan y Hereden por yguales partes con la vendicion de dios y la mia." See sluitend aan elkaar te koppelen, en de toeschrijving zelf is ook aan enige twijfel onderhevig. Maria Galen verwierp Lahrkamps idee kennelijk ook, want ze vermeldt de portretten van de familie-Leerse bij de verloren/vermiste werken (Maria Galen, *Johann Boeckhorst. Gemälde und Zeichnungen* [Hamburg: Baar, 2012], p. 480 nr. 113).

63 Federico Navarro, Conrado Morterero en Gonzalo Porras, *Noble Guardia de Arqueros de Corps* (Madrid: Hidalguía, 1962, herdruk 1997), p. 53; Hortal Muñoz 2013, CD-PDF p. 687.

64 AGP, *cajas* 169, 170, 171. In 1625 werd van hem gezegd dat hij verbleef in logies verschaft door de lijfwacht op "nº 300 de la buida de mrn Ramos frontero de San Luis" (AGP, *caja* 170).

65 AGP, *caja* 169.

66 In 1656, drie jaar voor zijn dood, droeg hij diverse bedragen die Adam de Rogival (of Rochival) hem verschuldigd was over aan het hospitaal (García García 2007, p. 406).

67 Ondanks zijn naam was De Lovaina afkomstig uit 's-Hertogenbosch; hij was boogschutter van 1622 tot zijn dood in 1647 (Hortal Muñoz 2013, CD-PDF p. 687, 717; Alicia Esteban Estríngana, "Provisiones de Flandes y capitales flamencos: Crónica de un encuentro anunciado en la primera mitad del siglo XVII (1619–1649)", *Banca, Crédito y Capital: La monarquía hispánica y los antiguos Países Bajos (1505–1700)*, Carmen Sanz Ayán en Bernardo José García García, red. [Madrid: Fundación Carlos de Amberes, 2006], p. 232–74, vooral 258–61; Stols 1971, vol. I, p. 152, vol. II, p. 43). Stols is bij mijn weten de enige auteur die een mogelijk verband opperde tussen de archiefbronnen over Leerses artistieke opleiding in Antwerpen en die over zijn leven in Madrid: over de Leerse die actief was in de wolhandel in Madrid schrijft hij: "Wellicht was hij dezelfde als een gelijknamige leerling van de Antwerpse schilder Jan Wildens in 1610" (Stols 1971, vol. II, p. 43).

Hoewel Hortal Muñoz aangeeft dat de gezamenlijke zakenactiviteiten van Leerse en De Lovaina in 1629 ten einde liepen, lijken die hun toch wat problemen te hebben opgeleverd, eerst in datzelfde jaar, toen goederen door de Spaanse overheden in beslag werden genomen (Ángel Alloza Aparicio, "Guerra económica y comercio europeo en España, 1624–1674. Las grandes represalias y la lucha contra el contrabando", *Hispania* 65.219 [april 2005]: p. 227–79, vooral 256 n. 63), en nadien in de jaren 1650 (Gonzalo Porras y Rodríguez de León, *La prueba nobiliaria de los Arqueros, de la Noble Guardia de Corps* [Madrid: Hidalguía, 1962], p. 13; Navarro/Morterero/Porras 1962/1997, p. 91; AGP, *caja* 165, *personal*, "Lers, Abraham."

Overigens was de grootvader van Abraham Leerse, Sebastiaen, ook als lakenkoopman werkzaam geweest, naast zijn activiteiten als drogist (Schmidt-Scharff 1931, p. 4, 123 n. 5).

68 Michael North, "Kunst und Ökonomie. Kulturelle Beziehungen zwischen den Niederlanden und den Städten des Ostseeraums", *Multiplicatio et Variatio: Beiträge zur Kunst: Festgabe für Ernst Badstübner zum 65. Geburtstag*, Matthias Müller en Ernst Badstübner, red. (Berlijn: Lukas, 1988), p. 311–20, vooral 318. Dennenhout en eik werden stelselmatig vanuit Scandinavië en Centraal-Europa verscheept, via Vlaanderen, voordat ze in Spanje werden ingevoerd en gebruikt voor het vervaardigen van schilderijlijsten (Timón Tiemblo 2003, p. 48). We kunnen ons afvragen of de Vlaamse achtergrond en connecties van Leerse hem bepaalde voordelen hebben opgeleverd in de handel van deze materialen, die rechtstreeks met zijn artistieke projecten te maken hadden.

69 AHPM, *protocolo* 6116, fol. 62v: "Yten yo el dho abrahan lerse, declaro que soy mozo soltero y por cassar / Yten declaramos que nosotros

also Hortal Muñoz 2013, CD–PDF p. 687 and Esteban Estríngana 2006, p. 260, who mention the siblings but do not quote the relevant passages.

Regarding Sebastiaen's family and birth, see Schmidt-Scharff 1931, pp. 126 n. 22, 130 n. 29, "Appendix I. Stammtafel Leerse" (n.p.), "Appendix II. Ahnentafel Leerse" (n.p.); Erik Duverger, "Antoon van Dyck dans les inventaires anversois du XVIIe siècle relatifs à l'art," *Jaarboek van het Koninklijk Museum voor Schone Kunsten*, ed. by A. Monballieu (1999): pp. 20–39, esp. 30 n. 70, who states that Sebastiaen's parents were "Absolon" and "Maria Gijsbrecht" and that he was baptized on June 30, 1589 in Antwerp Cathedral; he further mentions Sebastiaen's marriage in 1610 with Elizabeth Bol and his work as a merchant and almoner. Schmidt-Scharff has convincingly argued that for confessional reasons, Sebastiaen was not baptized until several years after his birth, which he places in 1584 (Schmidt-Scharff 1931, p. 125 n. 20).

For an unpublished, unreferenced document concerning Sebastiaen's investments following his death, see Rijksarchief Gent, Coppens D'Eeckenbrugge, BE–A0514.21G, 74, "Erfenis van Sebastiaen Leerse, 1664." My thanks to Joke Verfaillie of the Rijksarchief Gent for her assistance with this document. According to this document, a full testament was drawn up in Antwerp on October 5, 1663 under the auspices of Antwerp's alderman; I have not yet been able to locate this document in the *Schepenregisters* in Antwerp's Felixarchief.

72 Schmidt-Scharff 1931, pp. 6, 25, 31, 128–29 n. 28, 137 n. 72; Barnes 2004, pp. 322–23 no. III.94. Frans Francken II's (1581–1642) portrait of a family surrounded by their art collection (Antwerp, Koninklijk Museum voor Schone Kunsten) has long been said to depict Sebastiaen Leese and his family. This identification derives from S. Speth-Holterhoff, "Trois amateurs d'art flamands au XVII siècle," *Revue Belge d'archéologie et d'histoire de l'art* 27 (1958): pp. 45–62, esp. 48, on the basis of a perceived similarity of these figures to those in Van Dyck's portrait in the Gemäldegalerie Alte Meister in Kassel. The similarity has long been contested, rightly in my view: Ursula Alice Härting, *Frans Francken der Jüngere (1581–1642): Die Gemälde mit kritischem Oeuvrekatalog* (Freren: Luca, 1989), p. 90; Siska Beele in Els Marechal, Hans Devisscher, and Paul Huvenne, *Het museumboek: Hoogtepunten uit de verzameling* (Antwerp/Ghent: Koninklijk Museum voor Schone Kunsten/Snoeck, 2003), p. 98; Barnes 2004, p. 323; Valérie Herremans, ed., *Heads on Shoulders: Portrait Busts in the Low Countries, 1600–1800* (Ghent: Snoeck, 2008), p. 90.

73 A descendant had a copy of this portrait made sometime between 1691 and 1740, and Johann Georg Leerse (1691–1762), grandson of Johannes Baptista and a resident of Frankfurt am Main, affixed a note to its back in 1750 indicating the identities of the sitters (Haeseler/Tieze 2009, pp. 174–79, with further details about the provenance of the copy). For more on information on Johann Georg, who kept a diary in which he discusses his forebears, see Schmidt-Scharff 1931.

74 Sebastiaen Leerse followed his father and grandfather in becoming a druggist (Schmidt-Scharff 1931, pp. 3, 123 n. 5). Regarding his position as almoner, see Schmidt-Scharff 1931, pp. 5, 126 n. 23, 31.

75 "Een Pourtraict geschildert van d'heer Anthoni van Dyck representerende des Afflyvigens Grootvader ende Grootmoeder ende Oom," quoted within the full inventory in Duverger 1984–2009, vol. XII, pp. 146–49, no. 4021; an excerpt was published in Denucé 1932, pp. 65–67 no. 119. The other works by Van Dyck were an oval portrait and a panel with the story of Ambrosias and Theodosius. Additional painters represented in the collection were Hendrick van Balen, Jan Brueghel I (1568–1625), Gonzales Coques (1614–1684) (the painter of another family portrait), Abraham Janssens (c. 1575–1632), Jordaens, Bonaven-

avemos estado, y de presente estamos juntos en una cassa, comiendo a una messa como dos buenos amigos y paysanos, abra cerca de ocho años, durante los quales avemos tenido compañía de nuestras Haziendas con la ygualdad posible, conserbandonos, en Amistad." Esteban Estríngana 2006, p. 260, citeert een stukje van deze passage. Het eerdere testament is het volgende: AHPM, *protocolo* 4111, fol. 332r–334v (dank aan de staf van het AHPM voor het bezorgen van een fotokopie).

70 AHPM, *protocolo* 6116, fol. 62r: "Yten mandamos de limosna cada uno de nosotros para el ospital de señor San andres qu[e] esta en esta dha villa donde se curan en esta corte los pobres enfermos de nuestra nacion veynte y cinco ducados por una vez." De analoge passage in het testament uit 1624, AHPM, *protocolo* 4111, staat op fol. 333v.

71 AHPM, *protocolo* 4111, fol. 334r: "y yo el dho abraam lerse a sevastian lerse=y a sara lerse mis hermanos y a los hixos de maria ~~de~~ lersse mi hermana difunta y a los hixos de absalon lerse mi hermano difunto para que los ayan y ereden;" AHPM, *protocolo* 6116, fol. 67r: "Y yo el dicho abraham lerse dexo por mis universales Herederos a sebastian lerse y a sara lerse mis hermanos y a los Hijos de maria lerse mi hermana difunta y a los Hijos de absalon lerse mi hermano assimismo difunto para que los ayan y Hereden por yguales partes con la vendicion de dios y la mia." Zie ook Hortal Muñoz 2013, CD–PDF p. 687 en Esteban Estríngana 2006, p. 260, die de broers en zusters vermelden maar de relevante passages niet citeren.

Omtrent de familie en afkomst van Sebastiaen, zie Schmidt-Scharff 1931, p. 126 n. 22, 130 n. 29, "Appendix I. Stammtafel Leerse" (z.p.), "Appendix II. Ahnentafel Leerse" (z.p.); Erik Duverger, "Antoon van Dyck dans les inventaires anversois du XVIIe siècle relatifs à l'art", *Jaarboek van het Koninklijk Museum voor Schone Kunsten*, A. Monballieu, red. (1999): p. 20–39, vooral 30 n. 70, die stelt dat de ouders van Sebastiaen "Absolon" en "Maria Gijsbrecht" waren en dat hij op 30 juni 1589 in de Antwerpse Kathedraal werd gedoopt; hij vermeldt ook het huwelijk van Sebastiaen in 1610 met Elizabeth Bol, evenals zijn werk als koopman en aalmoezenier. Schmidt-Scharff heeft overtuigend aangevoerd dat Sebastiaen om geloofsredenen pas verscheidene jaren na zijn geboorte, die hij in 1584 plaatst, werd gedoopt (Schmidt-Scharff 1931, p. 125 n. 20).

Voor een niet-gepubliceerd, niet-geciteerd document omtrent Sebastiaens investeringen na zijn dood, zie Rijksarchief Gent, Coppens D'Eeckenbrugge, BE–A0514.21G, 74, "Erfenis van Sebastiaen Leerse, 1664." Dank aan Joke Verfaillie van het Rijksarchief Gent voor haar hulp met dit document. Volgens dit document werd op 5 oktober 1663 een volledig testament opgesteld in Antwerpen, onder de bescherming van de schepen van Antwerpen; ik heb dit document nog niet gevonden in de *Schepenregisters* in het Felixarchief in Antwerpen.

72 Schmidt-Scharff 1931, p. 6, 25, 31, 128–29 n. 28, 137 n. 72; Barnes 2004, p. 322–23 nr. III.94. Van het portret dat Frans Francken II (1581–1642) schilderde van een familie tussen haar kunstverzameling (Antwerpen, Koninklijk Museum voor Schone Kunsten) is lange tijd beweerd dat het om Sebastiaen Leese en zijn familie ging. Deze identificatie stoelt op S. Speth-Holterhoff, "Trois amateurs d'art flamands au XVII siècle", *Revue Belge d'archéologie et d'histoire de l'art* 27 (1958): p. 45–62, vooral 48, op basis van een vermeende overeenkomst tussen deze figuren en die op Van Dycks portret in de Gemäldegalerie Alte Meister in Kassel. Deze overeenkomst wordt al geruime tijd aangevochten, volgens mij terecht: Ursula Alice Härting, *Frans Francken der Jüngere (1581–1642): Die Gemälde mit kritischem Oeuvrekatalog* (Freren: Luca, 1989), p. 90; Siska Beele in Els Marechal, Hans Devisscher en Paul Huvenne, *Het museumboek: Hoogtepunten uit de verzameling* (Antwerpen/Gent: Koninklijk Museum voor Schone Kunsten/Snoeck, 2003), p. 98; Barnes 2004, p. 323; Valérie

tura Peeters (1614–1652), and Erasmus Quellinus II (1607–1678), among others. See also Barnes 2004, p. 86; Duverger 1999, p. 30; Marion Lisken-Pruss, *Gonzales Coques (1614–1684): Der kleine Van Dyck* (Turnhout: Brepols, 2013), pp. 40, 65. Apart from the 1691 inventory and the existence of Van Dyck's portrait, another source indicates that Sebastiaen Leerse was particularly partial to Van Dyck: in about 1660, the German painter Jürgen Ovens (1623–1678) was in Antwerp and made a drawing after Van Dyck's portrait of the painter Theodoor Rombouts's wife and daughter (this portrait and its pendant, of Rombouts himself, are in now in the Alte Pinakothek in Munich); Ovens indicated that he had seen the work when it was owned by "mijn Heer Leers" (Barnes 2004, p. 344 no. II.121–22).

Incidentally, the grandson Sebastiaen was married to Maria Anna van Leyen, daughter of Anthonis van Leyen, another important Antwerp art collector (Speth-Holterhoff 1958, pp. 58, 60–62). The Antwerp painter Gonzales Coques, who painted portraits of members of the Leerse family, also painted a *kunstkammer* that has at times been thought to depict Van Leyen (Lisken-Pruss 2013, pp. 97, 254).

76 Duverger 1984–2009, vol. VII, pp. 83–84 no. 1961; Galen 2012, pp. 19, 490–91. This may well be the work listed in the grandson's inventory as "Een ovael Pourtraict van Van Dyck in swerte leyste" (Duverger 1984–2009, XII, pp. 146ff no. 127). Sebastiaen Leerse and Boeckhorst were among those – along with Jan Cossiers (1600–1671), Jan Fijt (1611–1661), Daniel Seghers, David Teniers II (1610–1690), and Cornelis de Vos (c. 1584–1651) – who gathered at the home of the artist and dealer Matthias Musson (1598–1678) in 1649 to attest to Jan Hendrick Everbergh's fraudulent elevation of the prices of works that he had purchased on behalf of Archduke Leopold Wilhelm; Jan Wildens, teacher of Sebastiaen's brother and son, was also involved in this affair (Jan Denucé, *Na Peter Paul Rubens: Documenten uit den kunsthandel te Antwerpen in de XVIIe eeuw van Matthijs Musson* [Antwerp: De Sikkel, 1949], p. 79 no. XLIII; Duverger 1999, p. 30).

77 For a discussion and transcription of this inventory, see Burke / Cherry 1997, pp. 365–67 no. 34. I have checked the passages at the beginning and end regarding the appraisers against the original text (AHPM, *protocolo* 6212, fols. 883v–887r, esp. 883v, 887r; my thanks to the staff of the AHPM for supplying me with a photocopy). The inventory begins, "En la Villa de Madrid a seis dias del mes de Abril de mill y seiscientos y quarenta y dos años ante mi el dho escribano parecio Juan del Campo pintor Vecino desta Villa y abiendo açetado el nombramiento en el fecho para tasar las pinturas, y jurado a Dios y a una cruz en forma de derecho de acer bien y fielmente su oficio juntamente con el dho abran leres tasadores nombrados por todas las partes de un acuerdo y conformidad tasaron las pinturas y Cossas de oratorio en la forma y precios siguiente." At the end, the contents of the oratory are broadly mentioned – "Mas tasaron todo el ornamento del oratorio en mill y trecientos Rs" (fol. 887r; this line is omitted in Burke / Cherry 1997) – without reference to an appraiser, while the paintings are again invoked with both appraisers mentioned: "Todas las quales dhas pinturas y demas bienes los dhos abran leres y Juan del Campo tasadores nombrados por las partes tasaron en la forma que queda rreferido en cada partida sin aber echo agrabio a ninguna de las partes y ansi lo declararon del bajo del Juramento que tienen fecho y lo firmaron Ba testado == quartas / Abraham Leerse / Juan del Campo / Ante mi / Andres Calvo."

Van Vucht's marriage to Juana Lucia López Pueyo was the reason for the inventory. For further biographical details about Duchamps, see Newman 2016, pp. 176–79. On the painting possibly by Seghers in Van Vucht's collection, see Jahel Sanzsalazar, "Gérard Seghers y el Marqués de Leganés: Nuevas pinturas identificadas," *Goya: Revista de Arte* 329 (2009): pp. 283–93. Herremans, red., *Heads on Shoulders: Portrait Busts in the Low Countries, 1600–1800* (Gent: Snoeck, 2008), p. 90.

73 Een nazaat liet ergens tussen 1691 en 1740 een kopie van dit portret maken, en Johann Georg Leerse (1691–1762), de kleinzoon van Johannes Baptista en inwoner van Frankfurt am Main, hechtte in 1750 een notitie op de achterzijde met de identiteit van de modellen (Haeseler / Tieze 2009, p. 174–79, met bijkomende details over de herkomst van de kopie). Voor meer informatie over Johann Georg, die een dagboek bijhield waarin hij zijn voorouders bespreekt, zie Schmidt-Scharff 1931.

74 Sebastiaen Leerse trad in het voetspoor van zijn vader en grootvader en werd ook drogist (Schmidt-Scharff 1931, p. 3, 123 n. 5). Wat zijn functie als aalmoezenier betreft, zie Schmidt-Scharff 1931, p. 5, 126 n. 23, 31.

75 "Een Pourtraict geschildert van d'heer Anthoni van Dyck representerende des Afflyvigens Grootvader ende Grootmoeder ende Oom", vermeld in de volledige inventaris in Duverger 1984–2009, vol. XII, p. 146–49, nr. 4021; een uittreksel werd gepubliceerd in Denucé 1932, p. 365–67 nr. 119. De overige werken van Van Dyck waren een ovaal portret en een paneel met de geschiedenis van Ambrosias en Theodosius. Onder de andere schilders die in de verzameling vertegenwoordigd waren, vermelden we Hendrick van Balen, Jan Brueghel I (1568–1625), Gonzales Coques (1614–1684) (de schilder van een ander familieportret), Abraham Janssens (ca. 1575–1632), Jordaens, Bonaventura Peeters (1614–1652) en Erasmus Quellinus II (1607–1678). Zie ook Barnes 2004, p. 86; Duverger 1999, p. 30; Marion Lisken-Pruss, *Gonzales Coques (1614–1684): Der kleine Van Dyck* (Turnhout: Brepols, 2013), p. 40, 65. Naast de inventaris uit 1691 en het bestaan van Van Dycks portret, bewijst nog een andere bron dat Sebastiaen Leerse een bijzondere voorliefde voor Van Dyck had: rond 1660 was de Duitse schilder Jürgen Ovens (1623–1678) in Antwerpen en maakte hij een tekening naar Van Dycks portret van de vrouw en dochter van de schilder Theodoor Rombouts (dit portret en zijn pendant, van Rombouts zelf, bevinden zich thans in de Alte Pinakothek in München); Ovens gaf aan dat hij het werk had gezien toen het in bezit was van "mijn Heer Leers" (Barnes 2004, p. 344 nr. II.121–22).

Overigens was kleinzoon Sebastiaen gehuwd met Maria Anna van Leyen, de dochter van Anthonis van Leyen, een ander belangrijk Antwerps kunstverzamelaar (Speth-Holterhoff 1958, p. 58, 60–62). De Antwerpse schilder Gonzales Coques, die leden van de familie-Leerse portretteerde, schilderde ook een *kunstkammer* waarvan soms wordt aangenomen dat ze die van Van Leyen voorstelt (Lisken-Pruss 2013, p. 97, 254).

76 Duverger 1984–2009, vol. VII, p. 83–84 nr. 1961; Galen 2012, p. 19, 490–91. Dit is misschien het werk vermeld in de inventaris van de kleinzoon als "Een ovael Pourtraict van Van Dyck in swerte leyste" (Duverger 1984–2009, XII, p. 146 e.v. nr. 127). In 1649 kwamen Sebastiaen Leerse en Boeckhorst – samen met onder meer Jan Cossiers (1600–1671), Jan Fijt (1611–1661), Daniel Seghers, David Teniers II (1610–1690) en Cornelis de Vos (ca. 1584–1651) – thuis bij kunstenaar en kunsthandelaar Matthias Musson (1598–1678) om te getuigen over Jan Hendrick Everberghs frauduleuze verhoging van de prijzen van werken die hij had gekocht voor aartshertog Leopold Wilhelm; Jan Wildens, de leermeester van Sebastiaens broer en zoon, was ook in deze zaak betrokken (Jan Denucé, *Na Peter Paul Rubens: Documenten uit den kunsthandel te Antwerpen in de XVIIe eeuw van Matthijs Musson* [Antwerpen: De Sikkel, 1949], p. 79 nr. XLIII; Duverger 1999, p. 30).

77 Voor een bespreking en transcriptie van deze inventaris, zie Burke / Cherry 1997, p. 365–67 nr. 34. Ik heb de passages aan het begin en het einde met betrekking tot de taxateurs vergeleken met de originele tekst

78 José Juan Pérez Preciado, "Los bodegones de Alexander Adriaenssen de la colección de Felipe IV y su primer poseedor: El archero real Jan Wymberg," *In Sapientia Libertas* 2007, pp. 392–401, esp. 394, 398, 401 n. 41.

79 AGP, *cajas* 168, 169.

80 AGP, *caja* 168, *personal* – V, W, X, Y, Z, roster of April 22, 1662: "Joan Wynbergh – nimegem gueldria." In a testament of January 1, 1672, seven days before his death, Wymberg mentions being a native of "escurt en los estados de Flandes" (AHPM, *protocolo* 6549, fols. 1r–3v, esp. 1r; my thanks to the staff of the AHPM for supplying me with a photocopy). This document is referenced and briefly discussed in Pérez Preciado 2007, pp. 394, 400 n. 30, 401 n. 31, who also discusses Wymberg's more extensive testament of 1668 (pp. 394, 396).

81 María Paz Aguiló Alonso, *El mueble en España, siglos XVI–XVII* (Madrid: Consejo Superior de Investigaciones Científicas, 1993), pp. 41, 375, 390, 397; Hortal Muñoz 2013, p. 224, 224 n. 192, CD-PDF p. 1035; Pérez Preciado 2007, pp. 394, 400 ns. 25, 26. On the career of Prince Emmanuel Filibert, see Elisabeth Marieke Geevers, "Dynasty and State Building in the Spanish Habsburg Monarchy: The Career of Emanuele Filiberto of Savoy (1588–1624)," *Journal of Early Modern History* 3 (2016): pp. 267–92 and Manuel Rivero Rodríguez, "La Casa del príncipe Filiberto de Saboya en Madrid," *L'infanta: Caterina d'Austria, duchessa di Savoia (1567–1597)*, ed. by Franca Varallo and Blythe Alice Raviola (Rome: Carocci, 2013), pp. 499–518. Regarding the mirror frames for the Alcázar, see Juan María Cruz Yábar, "La primera etapa del Salón de los Espejos y las intervenciones de Carbonel y Velázquez (1639–1648)," *Anales de historia del arte* 26 (2016): pp. 141–69, esp. 149 n. 30, 150, 150 n. 32; Timón Tiemblo 2003, pp. 257, 345; Aguiló Alonso 1993, pp. 153, 375, and in passing p. 151.

82 AGP, *caja* 169. Guard records document, among other things, his possession of a guard house in 1657 (AGP, *caja* 170) and his attendance at such guard events as the *Día de la Candelaria* in 1668, near the end of his life (AGP, *Sección Reinados*, *Fondo*: *Carlos II*, *caja* 126, *expediente* 1).

83 Both also appear together in a list of archers owing money to the crown the following year (AGP, *caja* 170).

84 Pérez Preciado 2007, pp. 394, 400 ns. 23ff; Hortal Muñoz 2013, p. 223, CD-PDF pp. 1034–35; J.J. Martín González, "Arte y artistas del siglo XVII en la corte," *Archivo Español de Arte* 31.122 (June 1958): pp. 125–42, esp. 140; Ángel López Castán, "El gremio de ebanistas, entalladores y ensambladores de nogal de Madrid en el siglo XVII, notas para su historia," *Velázquez y el arte de su tiempo* 1991, pp. 349–56, esp. 356, 356 n. 37; Julio Cavestany, "Las industrias artísticas madrileñas," *Exposición del antiguo Madrid: Catálogo general ilustrado* (Madrid: Gráficas Reunidas, 1926), pp. 189–262, esp. 240.

Interestingly, another Low Countries immmigrant would assume the position of royal ebonist in the eighteenth century: the Limburg native José Canops served the crown from 1760–81 (Ángel López Castán, "La ebanistería madrileña y el mueble cortesano del siglo XVIII," *Anuario del Departamento de Historia y Teoría del Arte* 16 [2004]: pp. 129–50, esp. 139).

85 AHPM, *protocolo* 6116, fols. 60r–68r, esp. 66r: "yo el dicho abrahan lerse a Joan ban bur y al dicho pedro viquimans flamencos y a qual quier dellos ynsolidem y nos damos y les damos poder cumplido." Guillermo de Lovaina had also mentioned Viquimans, "mercader flamenco" (fol. 66r), as would Jan van Vucht in his testament of 1639 ("P° biquimans," Rooses 1897, p. 136; AHPM, *protocolo* 4696, fol. 1324r). In the earlier inventory and appraisal of Van Vucht's posessions at the time of his wife's death in 1628, Van Vucht mentioned Viquimans as "tio de los dhos menores" (uncle of the aforementioned minors) and named Viquimans (AHPM, *protocolo* 6212, fol. 883v–887r, vooral 883v, 887r; dank aan de staf van het AHPM voor het bezorgen van een fotokopie). De inventaris begint als volgt: "En la Villa de Madrid a seis dias del mes de Abril de mill y seiscientos y quarenta y dos años ante mi el dho escribano parecio Juan del Campo pintor Vecino desta Villa y abiendo açetado el nombramiento en el fecho para tasar las pinturas, y jurado a Dios y a una cruz en forma de derecho de acer bien y fielmente su oficio juntamente con el dho abran leres tasadores nombrados por todas las partes de un acuerdo y conformidad tasaron las pinturas y Cossas de oratorio en la forma y precios siguiente." Aan het einde wordt de inhoud van het oratorium in grote lijnen vermeld – "Mas tasaron todo el ornamento del oratorio en mill y trecientos Rs" (fol. 887r; deze regel is weggelaten in Burke/Cherry 1997) – zonder verwijzing naar een taxateur, terwijl de schilderijen nogmaals worden aangehaald met de vermelding van de twee taxateurs: "Todas las quales dhas pinturas y demas bienes los dhos abran leres y Juan del Campo tasadores nombrados por las partes tasaron en la forma que queda rreferido en cada partida sin aber echo agrabio a ninguna de las partes y ansi lo declararon del bajo del Juramento que tienen fecho y lo firmaron Ba testado == quartas / Abraham Leerse / Juan del Campo / Ante mi / Andres Calvo."

Van Vuchts huwelijk met Juana Lucia López Pueyo was de reden waarom de inventaris werd opgesteld. Voor meer biografische details omtrent Duchamps, zie Newman 2016, p. 176–79. Over het schilderij van Seghers dat zich misschien in Van Vuchts collectie bevond, zie Jahel Sanzsalazar, "Gérard Seghers y el Marqués de Leganés: Nuevas pinturas identificadas", *Goya: Revista de Arte* 329 (2009): p. 283–93.

78 José Juan Pérez Preciado, "Los bodegones de Alexander Adriaenssen de la colección de Felipe IV y su primer poseedor: El archero real Jan Wymberg", *In Sapientia Libertas* 2007, p. 392–401, vooral 394, 398, 401 n. 41.

79 AGP, *cajas* 168, 169.

80 AGP, *caja* 168, *personal* – V, W, X, Y, Z, rooster voor 22 april 1662: "Joan Wynbergh – nimegem gueldria." In een testament van 1 januari 1672, zeven dagen voor zijn dood, vermeldt Wymberg dat hij uit "escurt en los estados de Flandes" afkomstig was (AHPM, *protocolo* 6549, fol. 1r–3v, vooral 1r; dank aan de staf van het AHPM voor het bezorgen van een fotokopie). Dit document wordt vermeld en kort besproken in Pérez Preciado 2007, p. 394, 400 n. 30, 401 n. 31, die ook Wymbergs uitgebreider testament uit 1668 bespreekt (p. 394, 396).

81 María Paz Aguiló Alonso, *El mueble en España, siglos XVI–XVII* (Madrid: Consejo Superior de Investigaciones Científicas, 1993), p. 41, 375, 390, 397; Hortal Muñoz 2013, p. 224, 224 n. 192, CD-PDF p. 1035; Pérez Preciado 2007, p. 394, 400 nr. 25, 26. Over de carrière van prins Emmanuel Filibert, zie Elisabeth Marieke Geevers, "Dynasty and State Building in the Spanish Habsburg Monarchy: The Career of Emanuele Filiberto of Savoy (1588–1624)", *Journal of Early Modern History* 3 (2016): p. 267–92 en Manuel Rivero Rodríguez, "La Casa del príncipe Filiberto de Saboya en Madrid", *L'infanta: Caterina d'Austria, duchessa di Savoia (1567–1597)*, Franca Varallo en Blythe Alice Raviola, red. (Rome: Carocci, 2013), p. 499–518. Omtrent de spiegellijsten voor het Alcázar, zie Juan María Cruz Yábar, "La primera etapa del Salón de los Espejos y las intervenciones de Carbonel y Velázquez (1639–1648)", *Anales de historia del arte* 26 (2016): p. 141–69, vooral 149 n. 30, 150, 150 n. 32; Timón Tiemblo 2003, p. 257, 345; Aguiló Alonso 1993, p. 153, 375, en, *passim*, p. 151.

82 AGP, *caja* 169. Documenten van de lijfwacht staven onder andere zijn bezit van een lijfwachtwoning in 1657 (AGP, *caja* 170) en zijn aanwezigheid op feestelijkheden van de lijfwacht, waaronder de *Día de la Candelaria* in 1668, tegen het einde van zijn leven (AGP, *Sección Reinados*, *Fondo*: *Carlos II*, *caja* 126, *expediente* 1).

to conduct the appraisal of the "cosas de mercaduras Ropa blanca y muebles de casa" (items of merchandise, white clothing, and the house's furnishings) on behalf of Van Vucht and his three children, all still minors (AHPM, *protocolo* 5185, fols. 405v–406r, 424v–425r). Viquimans must have been a merchant of sorts, since he sold tapestries to the crown in 1638 (Brown/Elliott 2003, p. 108). He seems to have been yet another artistically-oriented Flemish immigrant operating at high political and social levels in Madrid and moving in the same circles as Van Vucht, Leerse, and Wymberg.

86 Pérez Preciado 2007, pp. 394, 396, 398.

87 Pérez Preciado 2007, pp. 394, 398. Incidentally, the Marquis of Leganés, like Van Vucht, would patronize the hospital, donating 100 *ducados* upon his death in 1655 (Vidal Galache/Vidal Galache 1996, p. 44).

88 Pérez Preciado 2007, 394, 396, 398.

89 Pérez Preciado 2007, pp. 394, 401 n. 31.

90 Pérez Preciado 2007, p. 394. He also appraised the queen's *escritorios* (desks or bureaus) and other ebony objects in 1644 (Aguiló Alonso 1993, p. 375; Timón Tiemblo 2003, p. 345).

91 Navarro/Morterero/Porras 1962/1997, p. 170 no. 779; Javier Blas, María Cruz de Carlos Varona, and José Manuel Matilla, *Grabadores extranjeros en la corte española del Barroco* (Madrid: Centro de Estudios Europa Hispánica/Biblioteca Nacional de España, 2011), Appendix I, 68; AGP, *caja* 168, *personal* – V, W, X, Y, Z, "Wymberg, Juan." It seems that the Duke of Aarschot, then captain of the guard, sought to intervene and have him freed. For a debt owed by Panneels to Wymberg upon his death, see Blas/De Carlos Varona/Matilla 2011, Appendix I, p. 69. For more on Panneels, albeit without any comment on the question of whether he was related to Rubens's assistant, Willem Panneels, see Blas/De Carlos Varona/Matilla 2011, pp. 27–29.

92 Aguiló Alonso 1993, pp. 375, 439 doc. no. 43; Juan María Cruz Yábar, "El arquitecto Sebastián de Benavente (1619–1689) y el retablo cortesano de su época," Ph.D. diss., Universidad Complutense de Madrid, 2013, pp. 95, 323, 740–41 no. 100; Juan Luis Blanco Mozo, "Juan Sánchez Barba (1602–1673), escultor," *Anuario del Departamento de Historia y Teoría del Arte* 15 (2003): pp. 79–98, esp. 85. For documentation regarding Wymberg's interactions with Benavente and particularly the sale or transfer of dwellings belonging to the confraternity, see Cruz Yábar 2013, pp. 39, 62, 326, 743–46 no. 102, 746–47 no. 103. For more on this confraternity in relation to Madrid's ebonists, see López Castán 1991, esp. pp. 351, 355; Timón Tiemblo 2003, p. 35. For Wymberg's mention of the confraternity in his will, see AHPM, *protocolo* 6549, fol. 1v.

93 The most recent restorations of the painting and frame took place in 1977, 1991, and 2014 ("Dossier Informativo," 2016, p. 6). Although a bomb evidently fell on the high altar in 1936 during the Spanish Civil War, the frame – at least in its current condition – shows no signs of damage ("Dossier Informativo," 2016, p. 6 and F. Vidal Galache and B. Vidal Galache, "Fundación Carlos de Amberes, Historia del Hospital de San Andrés de los Flamencos 1594–1994," 1996, p. 4; both documents courtesy of Fundación Carlos de Amberes, Madrid).

94 Timón Tiemblo 2003, pp. 257–60.

95 Paul Mitchell and Lynn Roberts, *Frameworks: Form, Function & Ornament in European Portrait Frames* (London: Merrel Holberton Publishers, 1996) (Mitchell/Roberts 1996a), esp. pp. 27, 59; Paul Mitchell and Lynn Roberts, *A History of European Picture Frames* (London: Paul Mitchell Limited/Merrell Holberton Publishers, 1996) (Mitchell/Roberts 1996b), p. 23.

83 Beiden komen ze het jaar daarop ook samen voor op een lijst van boogschutters die de kroon geld verschuldigd waren (AGP, *caja* 170).

84 Pérez Preciado 2007, p. 394, 400 n. 23 e.v.; Hortal Muñoz 2013, p. 223, CD-PDF p. 1034–35; J.J. Martín González, "Arte y artistas del siglo XVII en la corte", *Archivo Español de Arte* 31.122 (juni 1958): p. 125–42, vooral 140; Ángel López Castán, "El gremio de ebanistas, entalladores y ensambladores de nogal de Madrid en el siglo XVII, notas para su historia", *Velázquez y el arte de su tiempo* 1991, p. 349–56, vooral 356, 356 n. 37; Julio Cavestany, "Las industrias artísticas madrileñas", *Exposición del antiguo Madrid: Catálogo general ilustrado* (Madrid: Gráficas Reunidas, 1926), p. 189–262, vooral 240.

Opmerkelijk is dat een andere immigrant uit de Lage Landen in de achttiende eeuw de functie van koninklijk ebenist zou krijgen: de uit Limburg afkomstige José Canops diende de kroon van 1760 tot 1781 (Ángel López Castán, "La ebanistería madrileña y el mueble cortesano del siglo XVIII", *Anuario del Departamento de Historia y Teoría del Arte* 16 [2004]: p. 129–50, vooral 139).

85 AHPM, *protocolo* 6116, fol. 60r–68r, vooral 66r: "yo el dicho abrahan lerse a Joan ban bur y al dicho pedro viquimans flamencos y a qual quier dellos ynsolidem y nos damos y les damos poder cumplido." Guillermo de Lovaina had ook Viquimans vermeld, "mercader flamenco" (fol. 66r), net als Jan van Vucht dat deed in zijn testament uit 1639 ("P° biquimans", Rooses 1897, p. 136; AHPM, *protocolo* 4696, fol. 1324r). In de vroegere inventaris en taxatie van Van Vuchts bezittingen bij het overlijden van zijn vrouw in 1628, vermeldde Van Vucht Viquimans als "tio de los dhos menores" (de oom van bovenvermelde minderjarigen) en stelde hij Viquimans aan voor de taxatie van de "cosas de mercaduras Ropa blanca y muebles de casa" (koopwaar, witte kleding en huismeubilair) ten behoeve van Van Vucht en zijn drie kinderen, die allemaal nog minderjarig waren (AHPM, *protocolo* 5185, fol. 405v–406r, 424v–425r). Viquimans moet een soort koopman zijn geweest, want in 1638 verkocht hij wandtapijten aan de kroon (Brown/Elliott 2003, p. 108). Hij lijkt de zoveelste artistiek-georiënteerde Vlaamse immigrant te zijn geweest die op hoog politiek en maatschappelijk niveau werkte in Madrid en zich in dezelfde kringen bewoog als Van Vucht, Leerse en Wymberg.

86 Pérez Preciado 2007, p. 394, 396, 398.

87 Pérez Preciado 2007, p. 394, 398. Overigens zou de markies van Leganés, net als Van Vucht, het hospitaal begunstigen door het 100 *ducados* te schenken bij zijn dood in 1655 (Vidal Galache/Vidal Galache 1996, p. 44).

88 Pérez Preciado 2007, p. 394, 396, 398.

89 Pérez Preciado 2007, p. 394, 401 n. 31.

90 Pérez Preciado 2007, p. 394. In 1644 taxeerde hij ook de *escritorios* (bureaus) van de koningin en andere ebbenhouten voorwerpen (Aguiló Alonso 1993, p. 375; Timón Tiemblo 2003, p. 345).

91 Navarro/Morterero/Porras 1962/1997, p. 170 nr. 779; Javier Blas, María Cruz de Carlos Varona en José Manuel Matilla, *Grabadores extranjeros en la corte española del Barroco* (Madrid: Centro de Estudios Europa Hispánica/Biblioteca Nacional de España, 2011), Appendix I, 68; AGP, *caja* 168, *personal* – V, W, X, Y, Z, "Wymberg, Juan." De hertog van Aarschot, die toen kapitein van de lijfwacht was, lijkt te zijn tussengekomen en voor zijn vrijlating te hebben gezorgd. Voor een schuld van Panneels aan Wymberg bij diens dood, zie Blas/De Carlos Varona/Matilla 2011, Appendix I, p. 69. Voor meer informatie omtrent Panneels, zij het zonder commentaar over de kwestie of hij al dan niet verwant was met Rubens' assistent, Willem Panneels, zie Blas/De Carlos Varona/Matilla 2011, p. 27–29.

96 For the typical forms of seventeenth-century Spanish and particularly Madrid *cassetta* frames with acanthus leaves and rosettes, see Timón Tiemblo 2003, pp. 121, 132–33, 216–17, 219, 235; Richard R. Brettell and Steven Starling, *The Art of the Edge: European Frames: 1300–1900* (Chicago: The Art Institute of Chicago, 1986), p. 34; Mitchell/Roberts 1996b, pp. 123–24. For frames displaying closely comparable features, see Mitchell/Roberts 1996a, pp. 122, 124–26, figs. 85, 86, 88; Timón Tiemblo 2003, pp. 25, fig. 4, 241–44, figs. 197, 200, 202–4 and for a frame with a different general form but with equally volumetric carving, p. 249, fig. 217.

97 "Dossier Informativo," 2016, p. 4.

98 María Jofre, "Restauración del 'Martirio de San Andrés' de Rubens," p. 2; courtesy of the Fundación Carlos de Amberes, Madrid.

99 On the water gilding process, see Brettell/Starling 1986, p. 119; Tiemblo Timón 2003, p. 370.

100 For a description of this process in the general context of early modern European framemaking, see Mitchell/Roberts 1996a, esp. pp. 23, 59; Mitchell/Roberts 1996b, p. 13; and for the bar-and-triple-bead pattern, Brettell/Starling 1986, p. 119.

101 On this type of papier-maché ornament, see Nicholas Penny, *A Closer Look: Frames* (London: National Gallery, 2010), p. 80; Jacob Simon, *The Art of the Picture Frame: Artists, Patrons and the Framing of Portraits in Britain* (London: National Portrait Gallery, 1996), p. 40.

102 Timothy Clifford, "Preface," Mitchell/Roberts 1996a, pp. 7–8.

103 For a brief discussion of how foliated corners and centers in Spanish seventeenth-century frames can underscore a painting's compositional lines, see Mitchell/Roberts 1996a, pp. 119, 122, 126.

104 For examples of scrolling acanthus leaves in Madrid engravings from this period, see Blas/De Carlos Varona/Matilla 2011, esp. nos. 381, 513, 564, 596, 683, 684, 721, 756, 760, 774, 794, 797, 807, 839. One can also see such semi-organic scrollwork in drawings by Alonso Cano from about 1650 (Madrid, Biblioteca Nacional de España) (Timón Tiemblo 2003, p. 237, fig. 189).

105 For analogous Low Countries examples of the framing device of scrollwork morphing into or closely abutting natural forms, see, for example, prints by the Wierix family dynasty, catalogued in Zsuzsanna van Ruyven-Zeman, *The Wierix Family*, 10 vols., *The New Hollstein Dutch & Flemish Etchings, Engravings and Woodcuts, 1450–1700* (Rotterdam: Sound & Vision, 2003), vol. I, nos. 118, 119, vol. II, nos. 311, 312, 372, vol. III, nos. 482, 483, 614–17, vol. V, nos. 1061–64, 1066, 1088, vol. VI, nos. 1168, 1371, vol. VIII, nos. 1662, 1675, 1680–84, 1719, 1787, 1841, 1855, vol. IX, nos. 1919, 1925–31, 1987, 2065, 2066, 2068, 2076, 2089, 2100, vol. X, nos. 2105, 2119, 2132, 2139, 2140, 2158, 2213–15.

106 On the division of labor in European frames, see Mitchell/Roberts 1996b, pp. 8, 11, 13; Timón Tiemblo 2003, p. 33.

107 On the ebonists' guild, see López Castán 1991; Joaquín de Entrambasaguas y Peña, "Noticias de algunos entalladores, doradores y ensambladores, que trabajaron en Madrid desde finales del siglo XVI hasta mediados del siglo XVII," *Boletín de la Universidad de Madrid* 3.11 (1931): pp. 42–65. Among the other immigrant ebonists at court were Hugo de Roy and Gaspar Camp. Born in Utrecht, De Roy studied ebony work in about 1616 in Brussels and had settled by 1626 in Madrid, where he joined the *Noble Guardia*. On De Roy, see Kruijer Fernández 2009, p. 15; Aguiló Alonso 1993, p. 405. For a document mentioning two pupils of De Roy, Sebastián Virtús and the French immigrant engraver, Juan de Courbes

92 Aguiló Alonso 1993, p. 375, 439 doc. nr. 43; Juan María Cruz Yábar, "El arquitecto Sebastián de Benavente (1619–1689) y el retablo cortesano de su época", doctoraatsthesis, Universidad Complutense de Madrid, 2013, p. 95, 323, 740–41 nr. 100; Juan Luis Blanco Mozo, "Juan Sánchez Barba (1602–1673), escultor", *Anuario del Departamento de Historia y Teoría del Arte* 15 (2003): p. 79–98, vooral 85. Voor documentatie omtent Wymbergs interactie met Benavente, en meer bepaald de verkoop of overdracht van woningen die aan de broederschap toebehoorden, zie Cruz Yábar 2013, p. 39, 62, 326, 743–46 nr. 102, 746–47 nr. 103. Voor meer informatie over deze broederschap in relatie tot de ebenisten van Madrid, zie López Castán 1991, vooral p. 351, 355; Timón Tiemblo 2003, p. 35. Voor Wymbergs vermelding van de broederschap in zijn testament, zie AHPM, *protocolo* 6549, fol. 1v.

93 De recentste restauraties van het schilderij en de lijst vonden plaats in 1977, 1991 en 2014 ("Dossier Informativo", 2016, p. 6). Hoewel bekend is dat in 1936, tijdens de Spaanse Burgeroorlog, een bom op het hoogaltaar viel, vertoont de lijst – althans in haar huidige staat – geen tekenen van schade ("Dossier Informativo", 2016, p. 6 en F. Vidal Galache en B. Vidal Galache, "Fundación Carlos de Amberes, Historia del Hospital de San Andrés de los Flamencos 1594–1994", 1996, p. 4; beide documenten met toestemming van de Fundación Carlos de Amberes, Madrid).

94 Timón Tiemblo 2003, p. 257–60.

95 Paul Mitchell en Lynn Roberts, *Frameworks: Form, Function & Ornament in European Portrait Frames* (Londen: Merrel Holberton Publishers, 1996) (Mitchell/Roberts 1996a), vooral p. 27, 59; Paul Mitchell en Lynn Roberts, *A History of European Picture Frames* (Londen: Paul Mitchell Limited/ Merrell Holberton Publishers, 1996) (Mitchell/Roberts 1996b), p. 23.

96 Voor de typische vormen van de zeventiende-eeuwse Spaanse, en vooral Madrileense, *cassetta*-lijsten versierd met acanthusbladeren en rozetten, zie Timón Tiemblo 2003, p. 121, 132–33, 216–17, 219, 235; Richard R. Brettell en Steven Starling, *The Art of the Edge: European Frames: 1300–1900* (Chicago: The Art Institute of Chicago, 1986), p. 34; Mitchell/Roberts 1996b, p. 123–24. Voor lijsten met nauw verwante kenmerken, zie Mitchell/Roberts 1996a, p. 122, 124–26, afb. 85, 86, 88; Timón Tiemblo 2003, p. 25, afb. 4, 241–44, afb. 197, 200, 202–4, en voor een lijst met een andere algemene vorm maar even volumetrisch snijwerk, p. 249, afb. 217.

97 "Dossier Informativo", 2016, p. 4.

98 María Jofre, "Restauración del 'Martirio de San Andrés' de Rubens", p. 2; met toestemming van de Fundación Carlos de Amberes, Madrid.

99 Omtrent het proces van het watervergulden, zie Brettell/Starling 1986, p. 119; Tiemblo Timón 2003, p. 370.

100 Voor een beschrijving van dit proces in de algemene context van de vroegmoderne productie van schilderijlijsten in Europa, zie Mitchell/ Roberts 1996a, vooral p. 23, 59; Mitchell/Roberts 1996b, p. 13; en voor de onderbroken drieling parellijst, zie Brettell/Starling 1986, p. 119.

101 Omtrent dit type decoratie in papier-maché, zie Nicholas Penny, *A Closer Look: Frames* (Londen: National Gallery, 2010), p. 80; Jacob Simon, *The Art of the Picture Frame: Artists, Patrons and the Framing of Portraits in Britain* (Londen: National Portrait Gallery, 1996), p. 40.

102 Timothy Clifford, "Preface", Mitchell/Roberts 1996a, p. 7–8.

103 Voor een beknopte bespreking van de manier waarop met bladmotieven versierde hoeken en middenstukken op Spaanse zeventiende-eeuwse lijsten de compositielijnen van een schilderij kunnen beklemtonen, zie Mitchell/Roberts 1996a, p. 119, 122, 126.

(b. 1627), see Mercedes Agulló y Cobo, *Documentos sobre escultores, entalladores y ensambladores de los siglos XVI al XVIII* (Valladolid: Universidad de Valladolid, 1978), p. 173. On Camp, who was a member of the *Guardia Tudesca*, see Hortal Muñoz 2013, CD-PDF p. 423.

104 Voor voorbeelden van acanthusvolutes op Madrileense gravures uit deze periode, zie Blas/De Carlos Varona/Matilla 2011, vooral nr. 381, 513, 564, 596, 683, 684, 721, 756, 760, 774, 794, 797, 807, 839. Soortgelijk half-organisch krulwerk treffen we ook aan op tekeningen van Alonso Cano van ca. 1650 (Madrid, Biblioteca Nacional de España) (Timón Tiemblo 2003, p. 237, afb. 189).

105 Voor analoge voorbeelden uit de Lage Landen van krulwerk dat overgaat in of nauw aansluit bij natuurlijke vormen op schilderijlijsten, zie onder meer prenten van de Wierix familiedynastie, gecatalogeerd in Zsuzsanna van Ruyven-Zeman, *The Wierix Family*, 10 vol., *The New Hollstein Dutch & Flemish Etchings, Engravings and Woodcuts, 1450–1700* (Rotterdam: Sound & Vision, 2003), vol. I, nr. 118, 119, vol. II, nr. 311, 312, 372, vol. III, nr. 482, 483, 614–17, vol. V, nr. 1061–64, 1066, 1088, vol. VI, nr. 1168, 1371, vol. VIII, nr. 1662, 1675, 1680–84, 1719, 1787, 1841, 1855, vol. IX, nr. 1919, 1925–31, 1987, 2065, 2066, 2068, 2076, 2089, 2100, vol. X, nr. 2105, 2119, 2132, 2139, 2140, 2158, 2213–15.

106 Over de taakverdeling bij de vervaardiging van Europese lijsten, zie Mitchell/Roberts 1996b, p. 8, 11, 13; Timón Tiemblo 2003, p. 33.

107 Over het ebenistengilde, zie López Castán 1991; Joaquín de Entrambasaguas y Peña, "Noticias de algunos entalladores, doradores y ensambladores, que trabajaron en Madrid desde finales del siglo XVI hasta mediados del siglo XVII", *Boletín de la Universidad de Madrid* 3.11 (1931): p. 42–65. Onder de overige ingeweken ebenisten aan het hof vermelden we Hugo de Roy en Gaspar Camp. De in Utrecht geboren De Roy studeerde ebbenhoutbewerking rond 1616 in Brussel en had zich tegen 1626 in Madrid gevestigd, waar hij lid werd van de *Noble Guardia*. Omtrent De Roy, zie Kruijer Fernández 2009, p. 15; Aguiló Alonso 1993, p. 405. Voor een document waarin twee leerlingen van De Roy worden vermeld, namelijk Sebastián Virtús en de Franse ingeweken graveur Juan de Courbes (geb. 1627), zie Mercedes Agulló y Cobo, *Documentos sobre escultores, entalladores y ensambladores de los siglos XVI al XVIII* (Valladolid: Universidad de Valladolid, 1978), p. 173. Omtrent Camp, die lid was van de *Guardia Tudesca*, zie Hortal Muñoz 2013, CD-PDF p. 423.

PHOTO CREDITS / FOTOVERANTWOORDING

FIG. 3. Sint-Andrieskerk, Antwerpen © www.lukasweb.be – Art in Flanders vzw, photo Hugo Maertens
FIG. 4. Museum Boijmans Van Beuningen, Rotterdam, inv. no. MB 5006 recto (PK) / photographer: Studio Tromp, Rotterdam
FIGS. 5, 16. The British Museum, London © The Trustees of the British Museum. All rights Reserved.
FIG. 6. Cathedral, Toledo © Cabildo Primado, Toledo; photo: David Blázquez
FIG. 7. © Szépművészeti Múzeum / Museum of Fine Arts Budapest, 2018; the Museum is the copyright holder
FIG. 8. © Museo del Greco, Toledo
FIGS. 9, 12, 13. © Photographic Archive Museo Nacional del Prado
FIG. 18. © Städel Museum – ARTOTHEK

AFB. 3. Sint-Andrieskerk, Antwerpen © www.lukasweb.be – Art in Flanders vzw, foto Hugo Maertens
AFB. 4. Museum Boijmans Van Beuningen, Rotterdam, inv. no. MB 5006 recto (PK) / fotograaf: Studio Tromp, Rotterdam
AFB. 5, 16. The British Museum, Londen © The Trustees of the British Museum. Alle rechten voorbehouden.
AFB. 6. Kathedraal, Toledo © Cabildo Primado, Toledo; foto: David Blázquez
AFB. 7. © Szépművészeti Múzeum / Museum of Fine Arts Budapest, 2018; het Museum is de houder van het auteursrecht
AFB. 8. © Museo del Greco, Toledo
AFB. 9, 12, 13. © Fotoarchief Museo Nacional del Prado
AFB. 18. © Städel Museum – ARTOTHEK